L'Est en West :
chroniques de voyage

De l'auteur :

Roman

Les Inventés, L'instant même, 1999.

Nouvelles

Je ne sais pas comment vous dire qui vous avez tué, à paraître, printemps 2003.
Haïr ? L'instant même, 1997.
Léchées, timbrées, L'instant même, 1993.
Espaces à occuper, L'instant même, 1992
(réédition 1993, 1997, 1999 en édition de poche).
Silences, L'instant même, 1990, Prix Adrienne-Choquette de la nouvelle (réédition 1993).

Essai

Le Tremblé du sens (apostille aux Inventés), essai sur les phénomènes de création, à paraître, automne 2003.

Collectif

Complicités, nouvelles, direction du collectif, PAJE/Stop éditeurs, 1991.

Aurélie et
Jean Pierre Girard

L'Est en West :
chroniques de voyage

ÉDITIONS QUÉBEC AMÉRIQUE

Données de catalogage avant publication (Canada)

Girard, Jean Pierre et Girard, Aurélie

  L'Est en West: chroniques de voyage

  (Mains libres; 8)

  ISBN 2-7644-0184-1

  I. Girard, Aurélie. II. Titre. III. Collection.

PS8563.1715D47 2002   C843'54 C2002-940700-1
PS9563.5.171D47 2002
PS3919.2.G57D47   2002

Nous reconnaissons l'aide financière du gouvernement du Canada par l'entremise du Programme d'aide au développement de l'industrie de l'édition (PADIÉ) pour nos activités d'édition.

Gouvernement du Québec – Programme de crédit d'impôt pour l'édition de livres – Gestion SODEC.

Le Conseil des Arts | The Canada Council
du Canada | for the Arts

Québec ☐☐

Les Éditions Québec Amérique bénéficient du programme de subvention globale du Conseil des Arts du Canada. Elles reçoivent aussi l'appui financier de la SODEC, qu'elles remercient.

Québec Amérique
329, rue de la Commune Ouest, 3e étage
Montréal (Québec) Canada H2Y 2E1
Tél.: 514-499-3000 , Télécop.: 514-499-3010

Dépôt légal : 4e trimestre 2002
Bibliothèque nationale du Québec
Bibliothèque nationale du Canada

Révision linguistique : Monique Thouin
Conception et mise en pages : Andréa Joseph [PAGEXPRESS]

À Aurélie

À papa

Liminaire

Nous étions en Westfalia, à l'été 2001. Il y avait notre chien, Monsieur Savon, accessoirement il y avait aussi moi, bien sûr (il faut quelqu'un au volant) mais il y avait surtout cette petite Aurélie prête à tous les kilomètres qui existent.

Nous avons roulé, erré, ri, on s'est boudés, elle voulait à gauche je tournais à droite, on s'est couchés à des heures impossibles pour des grains de poussière qui réalisent des vœux, et nous avons rencontré des gens exceptionnels, partout dans le Québec, de vrais Anges de la route qui nous confiaient de grands bouts d'éternité – j'ai l'emphase facile ce soir mais vous savez bien, vous, que le bonheur est dans la lecture qu'on arrive à faire des événements, alors il ne faut pas se gêner pour piger dans l'assiette de bonbons quand il y en a.

Aurélie y allait régulièrement (sinon péremptoirement) de ses mots d'enfant, petites perles d'Au qu'il n'y avait qu'à copier/coller afin de répandre la joie qu'elles portent, histoire de vivre encore davantage cet été qui restera marqué dans mes paumes à cause d'une dizaine de milliers de kilomètres en West, père et fille confondus dans le bitume. («Et chien aussi!»; elle m'ordonne de ne pas oublier Monsieur Savon – vous êtes prévenus, intraitable, et je ne parle pas du golden.)

Destinées à paraître sur huit semaines dans un quotidien près de chez vous, ces chroniques ont été une expérience de route et d'écriture comme je n'en avais pas connu, un «travail» sur le langage qui impliquait pour une fois mon «je», celui du papa, de l'écrivain, de l'homme. En cela, *L'Est en West* est unique dans mes publications (quiconque m'a un peu suivi sait d'ailleurs ce que je pense de l'autofiction et de ses dangers). Avec ces papiers, nous avons rejoint un public très large, ce qui m'a bien sûr jeté en bas de ma chaise (mon père aurait utilisé un verbe un peu plus viril que «jeter», je crois, mais il ne l'aurait pas dit à haute voix, et encore moins écrit). Il faut saisir qu'un écrivain normal, au Québec, ne reçoit pas trente courriels par semaine à propos de ce qu'il publie, alors ça atteint, et même ça choque un peu.

D'abord simple rendez-vous hebdomadaire platonique, sans conséquence ni rien, *L'Est en West* se sera donc transformé et s'adressera désormais pour l'éternité (emphase, emphase...) à un public averti, vacciné, que mes autres livres n'auraient jamais rejoint. («Tu sais, le type qui roule avec sa fille et son chien, juste un petit quart d'heure je te jure, occupe-toi des jumeaux OK?» Texto: un des courriels reçus.)

Publier l'ensemble en livre (ennobli de quelques ajouts, perles d'Au et Anges inédits, pour les vrais accrocs) pourrait ressembler, vu du pont, à une façon de dire merci. Eh bien c'est exactement ça. Pour être franc, j'imagine que c'est le seul de mes livres que mon père aurait lu au complet.

Alors, style genre à +, comme dirait Aurélie. (Seigneur…)

Aurélie Girard
Jean Pierre Girard
(« Et Savon ! Es-tu alzheimer papa ? »)

Appeler la joie

Mon nom, prononcé sur des airs de moteurs
qui grondent, c'est beau.

Sophie Traversy
Amérique

23 juin 2001

J'ai de la chance. Même dans ma ville, je vis à peu près incognito. Mon maire ne me connaît pas, mon député non plus, et mon propriétaire à peine – le cher homme s'inquiétait il y a peu de mes états d'âme, quand un matin j'ai projeté vers les cieux déjà embouteillés quelques répliques bien senties d'une pièce sur laquelle je travaille trop peu. Cet été, je baladerai cet incognito au cœur d'une érablière en Beauce, dans la banlieue de Boston, dans le cimetière où mes parents reposent, sur le bord de la mer en Gaspésie, en Abitibi ou sur le boulevard Saint-Laurent, je ne sais pas, on verra, mais c'était ma seule condition avec *Le Devoir*: pas d'itinéraire. Toujours à l'est, toutefois (d'où, titre); je n'irai pas à Chicago cet été ni ne dépasserai Ottawa vers l'ouest – bien qu'encore là, on verra, Aurélie fera assurément des représentations assez appuyées pour Marineland, Niagara ou d'autres semblables suçons, mais je suis son père, je n'ai donc surtout pas à dire inconsidérément oui, ni à m'adresser constamment à elle sous la forme interrogative, tiens, ça ne pourrait que la pourrir. (Sauf que voilà, dans le fond de ma besace grouillent deux ou trois hésitations et autant de peut-être, des sorties de secours, quelques cartouches de consentement, tiens, et c'est comme ça qu'on vit vieux d'ailleurs – sans compter que je ne suis pas chaud à l'idée de vous parler, dès cet interminable incipit, de la détermination confondante de cette gosse et de la guimauve que je parfois deviens quand éclate son rire.)

Je vais sans faillir vous raconter notre trajectoire, nos lieux de passage, nos rencontres avec des inconnus illustres, des gens croisés au hasard de la route, de ces anonymes que nous sommes dans le fond tous, et des parentés retrouvées à quatre cents milles de chez moi. Je traîne une caisse de bouquins, certes, mais presque pas de nouveautés, et des genres assez éclatés. Vers la boîte à l'instant je me penche, et je vois Claudel, Auster, un livre sur les préraphaélites, une biographie de Romy Schneider, Vian, Lorrie Moore, une dizaine de *Archie et Jughead* et le dernier Achille Talon, c'est vraiment n'importe quoi mais ça sent le lilas. Je vois Suzanne Jacob et René Lapierre à côté de *Naissance d'une cathédrale* (un bonheur qui relate les étapes de la construction d'une cathédrale imaginaire : Chutreaux), et *Le Livre de l'intranquillité*, édition intégrale, bien à plat sur le *Sports Illustrated*. Non, je ne vous dis pas s'il s'agit du spécial maillots, mais du bout du coude je pousse un peu Pessoa et la fatalité, c'est l'été.

Vous le concevrez, le type qui a échappé toutes ces grandes œuvres dans cette boîte n'a guère de sens, ce qui l'amène cependant à celui de son périple, qui n'en a précisément pas lui non plus. J'irai vers les trésors et il y en a partout, s'agit de regarder, chacun est responsable de la clarté comme de la joie, de la naissance du bonheur comme de celle de la misère qui colle à chacun de nos innombrables moignons dès qu'on a le dos courbatourné.

L'essentiel est évidemment visible pour les yeux, très éclatant, et j'y reviendrai.

La bonne moitié du verre

Ce périple ressemble beaucoup à l'écriture, du moins pour moi.

J'apprends chaque jour à apprivoiser l'humilité qu'il faut pour accepter dans une relative sérénité d'ailleurs fugace que je ne sais juste pas comment finira la phrase que j'entreprends d'écrire – non, pas de virgule.

Mais j'ignore. C'est ça la vérité. D'où je viens, où je vais, enfin vous comprenez très bien.

Alors conséquemment, je ne sais pas davantage ce que je trouverai sur la route – cela va assez de soi, sinon j'investirais toute cette belle essence dans l'immobilier. Mais je roulerai cependant comme un bon, cet été, je le jure, tranquillement, sciemment, vers ce que je ne connais pas.

Vous pouvez donc vous attendre à n'importe quoi, selon la saveur qu'il y aura à donner au jour – parce qu'elle y réside, cette saveur, ça c'est indéniable, c'est une promesse comme l'aube est une promesse : nous avons un rôle colossal à jouer dans la naissance du Beau et la continuité du Bien. Mon père ne disait pas, mais il le pensait j'en suis sûr : « La grande chance de voir la bonne moitié du verre : la pleine ». J'ajouterai : La poésie est moins dans les livres que dans le regard. (Et le poète ne sait-il pas canaliser cette colère sourde, cette rage de vivre et de sentir dont son œuvre demeure cependant gorgée ? À vous de me dire, moi je suis pas poète.) Alors, cette connerie des virages à droite au feu rouge – qui fera date et décret, j'en suis sûr —, j'en parlerai peut-être, la crasse et la gloire de ce qu'on nomme l'Amérique, aussi, et puis les cabanes à patates, les foyers de vieux, les amours égarées dans l'explosion du sens, les jambes d'une étudiante de Kiev en vacances à Berthier-sur-Mer, les marmottes mortes, les histoires de cul de Christine Angot ou la terrifiante mode de l'autofiction (même si ces trois derniers sujets, c'est à peu près la même chose), enfin vous voyez, n'importe quoi, avec ou sans gants, à la lueur de ma lampe à l'huile. Je vous dirai peut-être aussi pourquoi Foglia a eu raison de planter votre livre de l'année, la piscine à Kigali, en disant que c'était bien bon mais que ce n'était pas de la littérature. On verra. Je me charge d'à peu près tout et j'assume la grande majorité de ce que je dirai, le reste étant imputable à l'émotion pure et brutale, ou à ce qu'on pourra inventer d'encore plus énorme pour justifier nos bourdes.

Ce ne sera ni *On the road* ni *Volkswagen blues*, mes livres resteront mes livres, mais quand il faudra crisser je serai là – je parle évidemment des pneus. Avec *Les Anges de la route*, j'essaierai de vous montrer les gens que j'aurai croisés, à quel point ils sont immenses, et de temps en temps je vous confierai des secrets, comment aider un camionneur, pourquoi ne jamais laisser sa voiture au-dessus d'une bouche d'égout, pourquoi préférablement se garer à reculons, ou encore qu'il faut toujours clignoter AVANT de freiner, et PAS L'IN-VERSE, Seigneur, sinon on court le risque de se faire rentrer dans le Cachemire. (Je succombe aux majuscules, je sais, mais le souvenir du dernier imbécile est très frais.) En exergue, chaque semaine, vous lirez une citation d'un texte en devenir (comme la phrase de Sophie, ce matin), texte écrit par d'autres inconnus, des étudiants au contact desquels je me trouve parfois, afin de leur dire : « Regarde, tu pourrais peut-être tourner ici », ou quelque chose de plus vague encore, qui les accompagne sans leur nuire. (C'est ça mon travail auprès d'eux, à l'université, au cégep ou ailleurs, j'ai décidément beaucoup de chance.) Vous serez enfin conviés, tout l'été, à un trépidant concours de création : « Les derniers mots de Dieu ». Ce sera pas triste.

Je charrie ce projet de carnets depuis mes années de moto, je crois. (Écrivain de la route, a-t-on si souvent écrit de moi – un expert en marketterie a décrété un jour que cette étiquette était aussi accrocheuse que mon passé de footballeur ou les Charolais de mon père, qui avaient la curieuse destinée de finir en T-Bone – ce « T-Bone », je l'avoue, auquel je ne sais même plus si je dois apposer des italiques, le Larousse acceptant désormais « mail », « piercing » et « J'aime ça grave... », nous allons tous devenir fous.) Reste que c'est un peu vrai : j'aime rouler et j'aime les chemins de traverse ; quand vous me lirez, dans votre édition du samedi, moi je serai ailleurs, peut-être tout près de vous.

Avec tout ce millage, à quel moment trouverai-je le temps d'écrire ? Eh bien, quand vous vous éveillerez par une nuit caniculaire de juillet, dites-vous que Girard ne sera que l'un de ceux qui, à ce moment, travailleront à conférer une forme, et ainsi chercheront, dans la paix relative d'une route dont l'asphalte sait l'importance de s'effacer à mesure, quelque sens à donner à cette boule qui révolutionne inlassablement, en alignant son bonheur sur l'indice du TSE 300 pendant que Nortel se plante. Juste l'un d'eux : ceux qui essaient. Ma famille. Que j'aime ou non les résultats auxquels aboutissent ces foreurs de l'imaginaire, c'est assez secondaire, ce n'est rien. Le seul fait qu'ils écrivent me laboure. (Imaginaire, réalité, fiction, on en parlera aussi. De ces cathédrales comme Chutreaux qui n'existent pas, et dont c'est précisément la capitale vertu.)

L'équipage

Capucine, d'abord, ma très fidèle, Westfalia (d'où, titre) devant l'Éternel depuis 1986 – cent dix-sept mille sept cent soixante-dix-sept kilomètres au compteur, à peine sept mille trois cent soixante et un (.0625) par année si on compte vite, jamais d'hiver, cherchez-en des pareilles – on me l'envie bien plus que mes adverbes, on s'en procure des semblables en Californie, mais je laisse courir, j'ai compris la paix. Capucine et moi, ça fait déjà cinq ans – ce qui est loin d'un record mais qui n'est pas non plus si courant que ça dans ma vie sentimentale. Comme chaque année, à partir de novembre, j'ai ramassé mes deux dollars et ce printemps je lui ai offert quatre pneus, vous auriez dû la voir roucouler. (Devant un problème sérieux, où que je sois, je sonne Denis Boisclair, Saint-Sulpice, meilleur garage de West au sud de Pluton – cette plogue ne me vaudra pas un service supérieur, je l'ai déjà.) Premier secret : je voudrais bien mettre ce qu'il faut sur Capucine pour l'offrir à Aurélie le jour de ses dix-huit ans – si elle en veut. L'important est de nourrir des projets, n'est-ce pas ? Les réaliser est une prime. (Au fait, que les apôtres des résultats à tout prix aillent lire autre chose, le samedi, s'il vous plaît, c'est quand même demandé gentiment.) Craies de trottoir, *freesbee*, *game-boy*, une mite de gars une mite de fille (je vous expliquerai), cellulaire, jeux de poches et d'échecs, *Off* régions sauvages contre la saloperie du Nil, ballons de volley et de basket, *olio d'oliva e vino*, tout est déjà dans la cale.

Monsieur Savon, ensuite, un golden de quatorze mois ne possédant à ce jour qu'une notion extrêmement vague du concept de l'interdit, et qui conséquemment démontre un enthousiasme ferroviaire à la vue d'absolument tout ce qui bouge (trois adverbes, je sais, mais vous auriez dû lire le premier jet), un parangon du plaisir dont je dois encore tempérer les ardeurs en lui enfilant une sale muselière quand je le laisse seul dans Capucine plus de trois minutes parce qu'il mangerait le lit du bas. Un chien qui adore l'eau, en plus, ce qui me laisse soupçonner un été au bas mot infernal. (Si Aurélie et moi craignons les mouffettes ? Eh bien oui, oui, oui, c'est oui en jurons, et le pluriel se vérifie parfois quand il est tard et que l'auteur est las.) Je compte néanmoins sur Savon pour jouer le rôle du faire-valoir, je l'avoue, et pour me rappeler que rien dans la vie n'est plus grave qu'un chien boueux dans un Westfalia par ailleurs à peu près propre. Il sera toujours là, bonne bête blonde – il ne se trouve ici aucune allusion sur la capacité de Monsieur Savon à saisir certains concepts simples.

Et puis bien sûr Aurélie, essentielle petite âme, qui ne sera avec moi que la moitié du temps mais c'est comme ça la vie. Huit ans. C'est sa trouvaille à elle, le nom du chien. (« Et demi, papa. ») Pour elle, le West est une gigantesque maison de poupée ; à part le moteur, elle en connaît les recoins mieux que moi (et encore ici je me méfie, l'intuition féminine, même quand il est question de bielles et de pistons, j'ai déjà donné, je prends mon trou). Cet été, sur les balançoires de mille terrains de jeux de la province, j'aurai droit à du rouge à lèvres qui brille dans le noir, à des séances de tresses où je serai cobaye et à un régiment de Barbies à l'étage de Capucine. (Mes vrais amis, ici, ne rient pas.) Cette gosse a de meilleurs yeux, de plus incisives reparties, bref un bien plus bel avenir que celui de son père.

Et ce père aussi, fatalement, vous le reconnaîtrez dès qu'il entrera dans le saloon, il est petit, manchot, presque chauve, polyglotte, (la photo qui paraît dans les journaux est d'ailleurs modifiée au Photoshop par un récidiviste bosniaque qui possède un réseau de blanchiment d'argent à

Cowansville), Monsieur Savon pèse douze livres une fois la crème solaire appliquée, l'auteur rédige ce premier article sur une plage corse, engrange une fortune avec la fluctuation du prix de l'or, et cette phrase entière est l'antépénultième mensonge de son été parce qu'il se garde un coussin – le bougre est écrivain, on le lui a répété, il entretient donc une certaine relation avec le mensonge, et il pleure devant les crocus printaniers (ne cherchez pas de logique, Seigneur, nous voulons inscrire ceci dans le registre des « lectures d'été »). (Éloge du mensonge, au fait, je vous parlerai aussi de Romain Gary, mais pas comme Nancy Huston le fait ; procurez-vous déjà *Clair de femme*, un des grands romans d'amour de ma vie.)

Si je serai un peu plus bronzé en août ? Eh bien écoutez, le boulot c'est le boulot, gagne ton sel mon homme, et *Fais ce que dois*. Alors oui, je serai plus bronzé en août. Na.

Votre rôle et Les derniers mots de Dieu

Si vous voulez m'envoyer des affaires ou réagir à mes énormités, ne vous privez pas, on va jouer ça interactif. Des livres, des cassettes piratées de vos meilleures musiques de route, des nouilles en sachet, de scabreuses aventures, des endroits où coucher – gratuitement si possible, *Le Devoir* n'est pas exactement le pactole. Envoyez tout ça au journal, je ferai un détour deux ou trois fois pendant l'été. Pouvez m'inviter aussi, voire m'accueillir (c'est tellement beau, ce mot). Sait-on jamais ? Je débarque, on se demande un moment si Dieu existe, on se rend très vite à l'évidence que si, et pour avaler ça on joue une partie de dés à la brunante, devant un scotch, un thé et des braises. (Vous vous rappelez ? Jouer. Comme dans : jouer. Pour rien. On lance les dés, on les regarde fendre l'écume, on rit, on se dit ce qui nous a fait le plus sourire dans la vie, on décroche avec stupéfaction un double six, on parle ensuite de ce qui nous a déchiré, de ce qui nous déchire toujours, on lance encore les dés, on atteint l'aurore.) Mais l'idée demeure : prendre cet été le temps de vous décrire un peu de soleil et de pluie, savoir à qui je parle, et quand j'échapperai une bêtise stratosphérique, mesurer votre belle indulgence envers le genre, puisque vous aurez bien entendu la grâce de l'attribuer à la pression énorme qu'on peut vivre dans un pneu, tiens.

Et à propos de Dieu... On va bien voir.

Vous êtes peinards, vous regardez pousser vos tomates, et vous m'envoyez ce que vous supputez que seraient « Les derniers mots de Dieu ».

Qu'est-ce qu'Il dirait, Lui, à la fin ? Lâchez-vous, vengez votre enfance, n'importe, mais faites court. (Il y a des chances qu'on se monte ici tout un répertoire, mon ami.) Un porto au gagnant ou à la gagnante, c'est moi qui juge et c'est moi qui paie.

Je me mouille le premier : « Et si on éteignait ? » (J'aime assez l'idée qu'Il finisse ça en demandant l'avis de quelqu'un.)

Vous étiez avertis : de n'importe quoi, on verra bien si on peut parler de tout dans ce canard. Mais mode léger, ton badin quand c'est encore possible, comme si toutes nos recherches et nos études avancées convergaient vers la paix, comme si nous cherchions tous réellement à rouler à proximité d'une joie, souverains et volontaires dans notre ténacité à sans relâche l'appeler.

Allez. Bonne Saint-Jean, et laissez personne prendre la route soûl.

Les Anges de la route

(Elle a peut-être trente ans, ne pèse pas cent livres, mesure tout juste cinq pieds ; elle porte une jupe noire trop serrée, elle n'est pas maquillée.)

— Vous avez bien mangé ?

Je prends quelques secondes pour revenir, je suis con comme on les aime, j'étais dans un passé récent, pas facile, on traîne toutes sortes de trucs en West, l'été ne mène pas toujours à quelque chose.

— ... Comment ?

— Je peux vous servir un dernier café ?

Elle se tient là, debout, tranquille, son café a bouilli, il est infect et j'en ai déjà avalé quatre tasses, il y a la pluie derrière elle, dans la vitrine, tant de choses à comprendre encore, à prendre comme elles nous arrivent.

— Euh... Oui... C'est gentil.

Mouvement des hanches et du bras droit, elle verse son sirop, elle s'éloigne, derrière elle retombent de petites pépites de lumière, je n'invente rien. «Je peux vous servir un dernier café?» (Non mais vous entendez ça? «Je peux vous servir...»)

Parfois on est repêché par une phrase, un mot, un souvenir, un arbre, l'empreinte d'un jonc passé à la chapelle de l'aéroport de Mirabel. Il s'agit d'être attentif à ce qui peut un instant nous réparer. Ce n'est pas toujours très simple.

Mais quand ça arrive, on repart, on reroule, et puis voilà qu'on prie un petit peu, tiens donc, en avalant l'asphalte, afin qu'il n'arrive rien à ces grandes dames essentielles qui éclairent les *trucks-stops*.

On les appelle des serveuses.

Perle d'Au

— Qu'est-ce que tu veux faire dans la vie, Aurélie?

— Magicienne.

— Tu l'es déjà.

— Ben non. C'est long papa, magie noire, magie blanche, je voudrais faire apparaître des affaires.

— Tu le fais déjà.

— Ben non papa... Des vraies affaires.

— Ma joie, c'est pas une vraie affaire?

— Tu comprends rien.

De hérons
et d'errance

Le récit requiert la présence d'un héros qui sache voler.

Amélie Bourque
D'une logique littéraire

30 juin 2001

Aurélie et moi roulons sur Springsteen, compilation, cassette offerte par Karen à l'époque. Il pleut. Je n'ai plus d'essence. Je me trouve gros. Ce n'est pas drôle.

Aujourd'hui, premier jour de notre odyssée vers le Rien à peu près absolu, je vous écrirai d'un lieu qui m'est infiniment cher, La Visitation, petite paroisse limitrophe à Sainte-Perpétue, village lui-même à mi-chemin entre Montréal et Québec, par la 20 – ce village-là qui m'a vu naître, comme on dit.

(Vous savez probablement ce que c'est : un jour, le ciel est couvert, vous avez roulé n'importe comment, manqué de propane au dîner, le premier traversier était plein, les restaurants moches, le seul soleil de votre journée préférait jouer seul à la poupée sur le siège arrière, puis le jour s'est perfidement mué en soir, qui lui-même allait bientôt appeler la nuit sans que vous puissiez réellement intervenir, mais vous remarquez soudain, en émergeant des sols entre chien et loup, que vous roulez dans une contrée familière, vous avez déjà parlé à cette clôture, vous vous êtes déjà assis dans ce fossé, mais tonnerre, nom de nom, eh ben eh ben, c'est que vous êtes tout bonnement revenu sur les lieux de votre enfance mon petit. J'imagine que ça ressemble aux blocs de départ, pour un sprinter. Alors à ce moment, voyant l'avenir s'agiter ainsi à l'arrière du Westfalia, ça claque comme un fouet dans votre paume, vous pensez à la chance incroyable d'être encore en vie, vous qui avez passé un peu plus de la moitié de votre existence consciente sur la route, vous êtes encore en vie alors que Denis Vincent est mort, Denis Duguay est mort, Jacques Lafond est mort, René Chauvette est mort, qu'ils reposent en paix. Mais vous, avec cette fillette dans le rétroviseur, vous êtes vivant mon garçon, très très simplement, vivant, alors ça fera, secouez vos puces et chassez la pluie, chassez les traversiers bondés, chassez le prix de l'essence et les réminiscences, rien ne vous aura, ce serait trop idiot, aujourd'hui encore les Barbus rentreront bredouilles, vous vous dresserez entre eux et votre gosse. N'est-ce pas votre rôle, d'ailleurs, cet été, de voir la route et ses Anges?)

Mais, La Visitation.

Petit rang Saint-Pierre, rang de gravelle où nous roulons doucement parce que nous aimons nos amortisseurs, dans le concassé 0-3/4 qui ne survivra pas à l'été (un ami d'enfance, Mario, m'a appris qu'ils allaient bientôt asphalter). Nous arrivons à ma halte fétiche. Je me range, je pourfends les derniers soubresauts du crépuscule agonisant pendant que Monsieur Savon se précipite pour faire de la plongée. Je fais naître quelques formes dans les nuages qui s'endorment, un roseau, un chevreuil, « Ah tiens, Aurélie, regarde, un nuage en forme de nuage », elle ne trouve pas ça vraiment drôle, mais elle localise un visage de clown que je n'arrive pas à discerner, même la tête à l'envers, ça elle rit. Je déploie Capucine, et avant de faire à manger nous cueillons quelques fleurs, depuis Renée c'est un rituel. Aurélie les dispose dans une carafe de Ricard empruntée il y a deux ans dans un café place d'Italie où le croque, pardonnez-moi, était sincèrement à chier, et les prix aussi parisiens que la gueule du garçon dans le pire de vos cauchemars (ma nièce et ma fille s'en souviendront ; jusqu'à il y a deux secondes cet emprunt était notre secret). Nous dormons à trois jets de pierre plate d'une scierie récemment incendiée et d'un barrage où nous posons nos fesses pour sortir de la rivière Nicolet un tas de barbotes consentantes, des achigans, des crapets-soleils qui n'ont aucune éducation et qui évoquent l'allure que les OGM donneront sans doute aux bipèdes au XXIIe siècle. (On est tous le cobaye, le proto-type ou l'inventé de quelqu'un, rappelez-vous votre premier amour – ou le dernier. Quelqu'un, quelque part, se fait les dents sur vous, désolé ; avant ou après votre passage, on vous invente, et votre tendresse, votre compréhension, votre tempérance n'y changeront jamais rien. Courir le risque d'être inventé, cela dit, c'est sans doute courir le risque d'aimer, eh. Je suppose que je suis encore le dernier à comprendre.)

Hérons

À l'aube, éloignés de la tribu de colverts, deux grands hérons dans la rivière. L'air égaré, un peu baveux. Je voudrais que ce soient les mêmes depuis que je viens me réfugier ici, alors j'imagine très fort que c'est vrai, je berce mon vœu comme un enfant son rêve, et ensuite je commence à sérieusement y croire. Je berce encore un tout petit peu, j'y mets beaucoup du mien, et finalement voilà, sur la vie d'Aurélie je pourrais le jurer : ce sont bien les mêmes depuis cinq ans.

Je ne connais pas grand-chose aux oiseaux, même pas à ceux qui picorent les cœurs, je ne sais même pas combien de temps ça vit, un héron, pas plus que la date estampillée sur le flanc d'un couple uni, mais je sais qu'on peut inventer la réalité, et que c'est même parfois une question de survie. (Je suis emphatique et creux, mièvre et vieux, un peu croulant aussi, je sais mais l'aube est là, majestueuse encore, et je respire, je me rappelle ce qu'est un complément d'objet direct, je me rappelle que j'en trouve plusieurs en une minute quand je m'y mets, et j'arrive ainsi, de temps à autre, à composer à partir de ces trouvailles insignifiantes une certaine façon d'être au monde. Vu de la rivière, je dois ressembler à une momie.)

« Qu'est-ce que tu fiches encore ici, toi ? » lance le plus bleu des hérons, un grand sec à l'évidence mal embouché. J'essaie de lui sourire, il m'a donc reconnu lui aussi, et ma mère m'a élevé dans le respect de certaines politesses. « Hasard, mon vieux », réponds-je. « Peuh ! » réplique-t-il avec une redoutable économie de moyens que sa cervelle d'oiseau ne laissait pas présager. Il n'est même pas six heures, et je sens que déjà quelqu'un veut jouter. Je soupire, je lui offrirais bien quelques sardines pour qu'il vienne poser ses ailes, mais je crains que Monsieur Savon ne maîtrise pas tout à fait les régles d'hospitalité avec les volatiles. Je regarde le soleil, je pense aux polémistes et je me demande réellement comment on peut décemment croire qu'une claque sur la gueule est une introduction valable à quoi que ce soit. Je suis dépassé, et il est à peine six heures dix, ce sera une grosse journée. Aurélie s'éveille, sort en titubant du West, tente de replacer ses cheveux, me repère, s'approche de moi et finalement me demande à qui je parlais, encore. Ensuite elle dit bonjour.

Il y a dans ce «encore» un peu lascif tout ce qu'un papa peut espérer, je crois, notamment l'assurance tranquille d'une enfant pour laquelle des grands, malgré la merde, ont su s'oublier un peu, faisant ainsi de la place pour sa compassion à elle, plus tard, et il y a surtout l'acceptation à peu près inconditionnelle de ce que l'autre deviendra, de ce qu'il pourra aimer ou craindre ; son essentielle différence. Il y a beaucoup d'amour, en fait, ce matin, qui marche vers moi, qui vient s'asseoir sur ma cuisse et bâiller sur mon épaule. Je suis de nouveau cloué à ma chaise dépliante, en cette aube alanguie, par la chance que j'ai.

Courrier du Seigneur

Réagir à quelques courriels, déjà, merci Seigneur. (Je blague, aucun ne vient réellement de Lui.) On me demande entre autres si je ne suis pas «farouchement contre les cellulaires, surtout en voiture». Eh bien, non. Et il me fait très plaisir d'ajouter : S'il vous plaît, ne nous faisons pas trop transpirer cet été avec la norme, la bonne manière, la rectitude, ou encore la résistance pourtant nécessaire à ce que vous appelez la mondialisation, n'importe, le Mieux sera toujours l'ennemi du Bien. Ma mère a appris à conduire dans un rang de terre, avec un Chrysler vert qui devait peser deux tonnes. À un certain moment, devant les difficultés inhérentes à ce bel apprentissage, elle a imputé à la voiture le fait qu'on roule tout croche. Mon père, assis côté passager pour une fois, regardait dehors, impassible. Et moi, ti-cul renfrogné dans le milieu, l'âge d'Aurélie à peu près, j'observais se déployer à gauche et à droite le patient travail des jours, le vieillissement de mes parents, j'apprenais les paralangages, la patine des rapports humains et les inestimables cadeaux de la durée. Papa a murmuré, sans cesser de regarder dehors : «Tu sais, des fois le problème est sur le siège». Je ne sais pas s'il parlait à ma mère ou à moi, mais faire d'une phrase deux coups cadrait assez bien avec sa façon d'être un homme.

Tout ça pour dire que : Lâchez-moi le cellulaire, tout dépend toujours de qui est sur le siège. (Sans compter que le cellulaire n'est pas exactement la fission de l'atome en matière de menaces contre l'humanité.) J'ai un cellulaire parce que je couche une fois sur deux dans le bois avec une fille de huit ans, point. («Et demi, papa.») Mais l'hiver dernier, voyez-moi ça, j'ai aidé un type à sortir du champ sur la 40. (Il a demandé : « 'Vez-vous m'câller un towing? ». J'ai frémi, j'ai pensé à Georges Dor et à son Emmanuel de fils que je salue ici, mais dans mes propres idiomes j'ai câllé le towing parce que l'entraide traverse les langues et que c'est un truc que je tenais à écrire dans cette série : La langue n'est pas un veau, fût-il d'or, c'est un outil.) Trois semaines plus tard, j'ai parlé une heure avec mon pote Robert (peintre et cinglé qui hante les routes lui aussi), un prix de fou cette fois-là, c'est vrai, mais il est resté en vie, et moi aussi, ce n'est pas rien. « T'es où ? » est un chant d'amour et d'amitié, une vague, une signature, une déclaration – c'est toujours nous qui arrêtons le sens et inventons le Beau, je n'arrive pas à en démordre. La possibilité d'entendre ou de dire : «Tiens bon», ou alors : « Si ça va mal appelle », ou encore : «Arrête de te casser les nénettes, fais taire tes Barbus et rappelle demain », eh bien c'est simplement génial, ça repêche et ça panse. Ce serait quoi, entre nous, l'ontologique problème là-dedans? Vingt dollars par mois? Seigneur, chacun ses priorités.

Vous souhaitez tout de même interdire les cellulaires au volant? OK. Mais dans ce cas, on interdit aussi qu'on fume, qu'on chante à tue-tête et bien entendu qu'on se livre à quelque attouchement que ce soit, mignardises, guilis-guilis, papouilles et autres amabilités, y compris les fellations. Mon Dieu, des plans pour vider les routes, que ceux qui n'ont jamais péché jettent le premier cellulaire.

Non, franchement, arrêtons d'interdire, essayons d'éduquer, et utilisons le cellulaire avec notre tête, si je puis dire. (Arrêter sur le bord de la route pour parler, messieurs-dames, ce n'est pas très compliqué, êtes-vous sincèrement si pressés que ça?) Et pour ce qui est des mesures de sécurité vraiment déterminantes, faisons-nous une société réellement distincte et bloquons mécaniquement tous les véhicules à cent vingt, y compris ceux de la police, une barrure dans le moteur à la frontière, rien de moins.

Écoutez, depuis le début de l'été, Aurélie et moi avons dépassé cinq véhicules (cinq!), dont une calèche, une Géo Métro et un train (que je ne devrais pas compter parce qu'il démarrait), tout en nous faisant regarder comme des parias parce que nous roulons quatre-vingt-dix sur l'autoroute. C'est une folie, cette vitesse. (Je précise, dernier détail: Porter le cellulaire n'empêche en rien de ramasser ses papiers, d'effacer ses traces, de laisser les places et les plages vierges. C'est même un devoir de faire en sorte que personne ne puisse suivre nos pas; que toutes les célébrités y pensent une seconde. Encore une fois, nous voilà postés devant nous. Responsables. Et si vous tenez vraiment à laisser quelque chose derrière vous, que ce soient les fleurs.)

Errance et responsabilité

Non mais ça va n'importe où cet articulet de merde, sussure Anna devant son jus d'Annanas? Eh bien banco, c'est même le principe, vous étiez avertis. À l'université, ils diront que je tente de marier le fond et la forme, que l'auteur cherche son ton, que Adorno n'est pas complètement incompréhensible pour le commun (ce qui est vrai, mais pas avant la collation s'il vous plaît), et que chacun demeure responsable de ce qu'il dit et de ce qu'il tait. Ce qui, voyez-moi ça, me plantureusement ramène à ce que j'écrivais plus haut (d'autant que vous ne me subirez plus que six fois après celle-ci, aussi bien tailler dans le gras) : on est toujours responsable de soi, de ses actes, de ses paroles, de ses silences. (Tout le monde abonde ? On poursuit.) La Faute (savez, grand F, celle de l'Église ou celle de ceux qui ont besoin de nous la visser dans le dos), c'est donc nous qui lui donnons prise dès qu'on admet son existence. (La véritable absurdité est là, d'ailleurs, et Camus l'a compris de bonne heure : Faute et Pardon sont des inventions strictement humaines. Si elles existent, c'est en Haut Lieu ; elles ne sont conséquemment pas de notre ressort.) La responsabilité par contre, ça c'est à la hauteur du bitume. (Toujours d'attaque ? Ataboy, estocade alors.) Mais dans ce cas (et même si je risque l'excommunication dans ce monde tapissé de *Petit Prince*), Saint-Exupéry (qui volait, lui, certes, ce qui ne doit pas nuire) ne s'est-il pas trompé rare dans la lecture de ses cadrans quand il a fait dire à sa rose qu'on devient à jamais responsable de ce qu'on apprivoise ? (Mais était-ce la rose ou le renard ? Je sais plus.) Vous remarquerez que cette formule que vous chérissez tant est si belle qu'elle est fiançable dès la première nuit, mais vous remarquerez aussi qu'à la source, effet pervers, elle vient priver l'apprivoisé-e de sa souveraineté dans l'existence. Elle la nie, même. Et elle ouvre la porte à la calamité la plus meurtrière depuis qu'une amibe s'est hissée sur la terre ferme, le fameux : « C'est de ta faute », auge putride de la rancune où s'abreuvent tant d'avocats.

Il y a des glaces à la pistache qu'il faut refuser. À la source. Restons forts. Tenons bon.

Parlant de pistache, revoici « Les derniers mots de Dieu », qui devient grâce à vous un concours épatant. Continuez de m'envoyer vos trouvailles avec la même frénésie et je publierai pour Noël un recueil de vous en versant la totalité des redevances aux orphelins de Duplessis, tiens, retour d'ascenseur, Bruno appelle-moi. Suggestion de Raymond Pellerin, de Victoriaville, un joueur exceptionnel, inoubliable, faites-moi confiance, on voit qu'il y pensait depuis un moment : « J'avais pourtant payé pour un forfait complet ». (Dieu, en ligne, au comptoir des réclamations. Un petit numéro entre l'index et le majeur.)

L'été va être succulent.

Bon déménagement aux migrants du premier juillet.

Les Anges de la route

(Un *David Brown* – des tracteurs blancs, assez rares de nos jours, je pense que la compagnie a été rachetée par Ford mais je n'en suis pas certain. Le bonhomme roule dans son champ, en deuxième probablement, sur les petites vitesses, ça veut dire qu'il navigue à environ trois kilomètres heure. Il veut bien s'arrêter. Il n'avait jamais vu de West, il s'informe, la grosseur du moteur, tout ça, on jase, nous faisons tous les deux de notre mieux, ça saute aux yeux.)

— Avez-vous fini vos semences dans ce champ-là ?

— Pas semé icitte c't'année. Juste retourné.

— Comment ça ?

— C'est pour la terre. Trop d'engrais, trop de pesticides. A meurt.

Il regarde la terre, et j'ai peur pour nous tous.

— Ah... Vous faites la rotation. C'est bon ça.

Il me regarde, pas du tout intrigué, mais juste un peu surpris, comme s'il avait depuis un

moment enterré ses espoirs dans les labours d'automne.

— T'as pas l'air ben ben d'un gars d'la ville,
toé… Es-tu instruit?

— Vous avez pas ben ben l'air d'un gars qui
fait la rotation, monsieur.

Les dents jaunes, le regard bleu. Ça faisait
longtemps que mon petit savoir n'avait pas fait
sourire un type qui a l'âge qu'aurait mon père.

Perle d'Au

Aurélie est assise à l'arrière. Parfois on fait ça, on raconte des histoires, ou on roule en silence, c'est bien aussi. Elle joue à la Barbie avec le chien.

— C'était qui, papa, Paul Auster?

— C'est. Pas c'était. Un écrivain.

— Euh... Ouais... Tu l'aimes?

— Je le lis des fois. Deux-trois bons romans, des essais aussi, dont un sur Riopelle, un peintre d'ici. C'est dans *L'Art de la faim*. Dans la caisse de livres, justement.

— Euh... C'était. Peintre, tu veux dire peintre comme Robert?

— Si on veut, ouais... Peintre comme Robert. Pourquoi tu répètes tout le temps « c'était » ?

— Ben... Savon a mangé Paul Auster, papa.

— Quoi !

— Mais il en reste un petit peu. Vers la fin.

— Simonac !

— Oh-oh-oh-oh-oh-oh-oh-oh, papa...

Nos vieux

La directrice referma doucement le dossier
comme on avance vers une porte,
avec tact, devant un invité qui tarde à partir.
Elle prit un ton glacial.

Sylvie Boisvert
Dis-moi, Marie

7 juillet 2001

Depuis le déluge de 1996, je gagne le Saguenay au moins une fois par été. Quand je n'ai vraiment pas le choix je traverse le parc des Laurentides, mais je préfère aller par Saint-Gabriel-de-Brandon, puis la 348 ou la 349, en route vers Shawinigan – essayez, c'est deux petites heures de plus et vous longerez le bonheur. Ensuite j'arpente le Saint-Maurice, l'ancienne route de la pitoune, lentement, des dix-huit roues partout. (Les « ounes », c'est uniquement au Québec : guidoune, baloune, foufoune, je ne sais pas pourquoi, madame de Villiers, svp.) Je couche une nuit ou deux le long de ce trajet de mouches noires grosses comme l'ongle du petit doigt d'Aurélie (grosses comme dans l'imaginaire des Européens, bourdons mythiques, saumons de quatre pieds, forêts où on se promène à cheval et nus, mais c'est pourtant aux mêmes Européens qu'on doit l'*American dream*, vous laissez pas avoir, ce sont eux qui sont

venus larguer le rêve ici pour ensuite se tirer, lisez
Fuentes, *Géographie du roman*). Puis je monte vers
La Tuque, le Lac-Saint-Jean, et ensuite le
Saguenay. D'abord à La Baie, souper avec André et
sa Lucie, au petit *Bistrot Victoria*, puis je retourne
à Chicoutimi en espérant que la ville gardera son
nom, pour des rouges et des homards avec ma
Dany et sa Délima, une Labrador noire qui va
s'entendre comme cochon avec Monsieur Savon
cette année. Après, je vais me poser chez Pedro et
Juliette, même ville, deux ou trois jours – et ici je
change les noms, vous ne me prendrez pas à ce
jeu.

Apôtres et foyer de vieux

Drôle de couple, Pedro et Juliette. Lui, du
Guatemala ; elle, jamais quitté Chicoutimi, sauf
deux mois en Amérique du Sud, doit y avoir
quinze ans ; elle a ramené un souvenir vivant. Des
apôtres de la différence, qui savent dans leur corps
que ce qui diffère de soi est un cadeau de l'existence, entre autres parce que ça nous propulse
dans des lieux de nous-mêmes que nous n'aurions
pas visités sans ce magnifique accident de la ren-
contre. (Conséquemment, merci d'être une
femme, merci d'être noir, unilingue anglais, fif,
juif ou beur, merci d'être différents ; prenons un
verre et acceptons tout ça dans les effluves de
romarin, mémoire du cœur, et dans la prodigieuse
beauté que ça charrie.)

P. et J. habitent loin de la célèbre petite maison
blanche (aux alentours retapés très, non mais très

proprement, parole) et tout près d'un foyer de vieux. On ne dit plus «vieux», je sais, on ne dit même plus «foyer». On dit : «Résidence pour personnes âgées autonomes ou semi-autonomes», c'est complètement fou, rectitude étouffante ; ce langage policé, qu'on imagine plus respectueux, a remplacé les curés. J'ai peur qu'on croule sous les normes qu'on s'impose les uns aux autres, et qu'on habite déjà des lieux où Dire est redevenu risqué, comme sous n'importe quelle dictature. (Sauf que c'est notre voisin le dictateur, ce qui, en matière politique, s'appelle une sacrée réussite.) En balisant le Dire, on l'étouffe, on maintient la spontanéité, l'imaginaire, les nations et les êtres au sol. (Savez bien : Dire. Comme dans : essayer. *Exagium*, l'essai de Montaigne, tentative, tâtonnement, etc. Mais comment essayer quand la guillotine apparaît d'office ? Corrigez sans cesse un gamin et vous allez le tuer. Ouvrez-vous de temps en temps à ce que sa diagonale naturelle vous propose de neuf, et vous ferez de votre relation un superbe projet. Enfin.) P. et J. demeurent au second étage d'un duplex anonyme, avec des fenêtres qui donnent sur la cour des vieux, donc sur des exploits quotidiens que je ne me prive pas d'observer, et auxquels je suis peut-être un peu plus sensible parce que je n'ai plus de père ni de mère.

Je vois une madame Tougas, Pedro connaît même son prénom, qui a du mal à se traîner «Hiver comme été», murmure Juliette. Madame Tougas monte le samedi dans une Thunderbird et revient le lendemain vers quinze heures. On l'aide à marcher de la porte du foyer jusqu'à la Thunderbird qui est parfois une Reliant K grise. Je vois un monsieur Gamache qui avait un troupeau de Holstein avant, plus loin au nord (Notre-Dame-de-Lorette, je crois, « Le troupeau le plus haut ! »), et qui maintenant lave son char une fois par semaine. Il dit : « Mon char », alors faut pas compter sur moi pour traduire ça en : « voiture », et faudrait pas compter sur Pedro non plus, qui l'aide des fois, ce serait mal connaître l'Amérique du Sud et la richesse de l'âme chez ceux-là qu'on croit pauvres. Moi, je fais ça deux fois par année, laver mon West, et j'y vais avec beaucoup moins de soins que monsieur Gamache qui récure pourtant son char chaque samedi, régularité de cultivateur, même les semaines où il l'a simplement déplacé dans le stationnement. De la fenêtre du duplex, je vois madame Fugère qui écoute du classique trop fort dans la balançoire qu'on n'a pas besoin de repeindre parce qu'elle est en polymère. Je me demande ce que madame Fugère pense du polymère. Que c'est une merveilleuse invention, probablement. Et en écoutant Chopin, trop fort, madame Fugère rêvasse à l'odeur de leur terre en bois debout (récemment cédée au voisin parce que le fils est à Montréal pour faire de la musique ou de l'humour, elle ne sait pas très bien), et à celle, profonde, de la peinture au grand air. Probablement. Je vois une madame Séguin qui joue à la pétanque avec un monsieur Tremblay, une madame Smith, une madame Giroux et une madame Péloquin. « É l'y a bôcoup plousse dé madames, tou lé sé… », dit Pedro. (Yé lé sé : à l'époque j'ai suivi un cours en géronto pour comprendre ma mère, qui est morte avant que mon ignorance serve à quelque chose.) Madame Séguin gagne toujours, c'est la plus jeune, elle a soixante et onze ans. Elle aime gagner et les autres se foutent de perdre, alors ça baigne.

Parfois, la nuit, chez P. et J., je reste assis devant ces carreaux démesurés, parce que des spectacles pareils me gardent éveillé. Très tard, je vois surgir dans le stationnement des vieux – qui dorment, eux, je crois, mais qu'est-ce que j'en sais, et d'où vient donc cet irréel halo au-dessus du foyer, l'un d'eux viendrait-il de rendre l'âme – quelques punks et d'autres jeunes un peu éméchés, qui voteraient bien pour la légalisation du pot si on ramenait le droit de vote à quatorze ans, et qui piquent un raccourci à travers le parking, en chantant, trop fort eux aussi. À Chicoutimi, la nuit, j'infuse un thé et je rêve que les horaires sont bousculés, que la pétanque se joue au clair de lune, que des punks empruntent des raccourcis en plein samedi midi, pendant que des vieux lavent des chars. Souvent, ces questions-là me tiennent par le cou jusqu'à l'aube qui heureusement revient toujours, alors j'écris, cette fois pour *Le Devoir*.

Après une autre nuit blanche, je ne suis plus très présentable, je ne suis d'ailleurs pas d'emblée vraiment sortable, mes miroirs sont formels là-dessus, Pedro au matin le confirme, Juliette sourit dans son peignoir grivois, elle propose avec la grâce absolue d'une femme comblée des œufs brouillés, ciboulette et oignons, j'envoie le café, je les rassure à demi-mot : « Non-non, je ne vous ai pas entendus faire l'amour, dommage ». « Té ! Ma où é lé rhum coubain ? », demande Pedro. « Il s'est littéralement jeté dans mes thés cette nuit, dis-je doucement en beurrant les toasts. J'ai lutté. J'ai perdu. »

Toasts, oui. Pas «rôties». En Amérique du Sud, je vous jure, rôties ça ne veut strictement rien dire.

Plaire à tous quand on est au volant

Je suis allé avec Pedro au foyer, cette semaine. Pour dire bonjour, d'abord, parce que comme être humain on porte d'abord un bonjour sinon tout est foutu, mais aussi pour frotter le char de monsieur Gamache avec lui, et pour dire à madame Fugère, en lui effleurant l'avant-bras, que j'aime bien Chopin moi aussi. En entrant dans le foyer, j'ai vu la cafétéria, les passages en tapis, la couleur des portes, les fontaines. J'étais éberlué, estomaqué, admiratif et complètement défait. On dirait qu'il y a eu un autre déluge ici, et que tout a été reconstruit en matériaux neufs. C'est vraiment impeccable, et puis c'est tenu par une femme superbe, j'insiste, qui s'efforce de répondre aux besoins de tous, qui cherche à plaire à la majorité.

Eh bien justement, voyez-moi ça, je ne sais pas à quel point chercher maladivement à plaire à la majorité pourra demain se révéler être la pire des calamités, faudrait voir dans vingt-cinq ou cinquante ans pour se faire une idée. Mais gouverner aux sondages pour décider où et quand tourner n'est pas l'idée du siècle, ça c'est certain. (On élit quelqu'un pour décider ou pour sonder? C'est le gros pari de la démocratie: les risques qu'on ose courir en confiant les rênes à quelqu'un.) Toujours que. J'ai vu la cafétéria, si propre, un vrai restaurant, trois étoiles en montant, et j'ai eu des frissons. J'ai emprunté les passages en tapis, j'ai failli enlever mes sandales, j'étais gêné et j'avais vraiment froid. J'ai remarqué la couleur des portes et je me suis dit que tous ces pastels, c'était sûrement pour les alzheimers, afin qu'ils retrouvent leur deux-pièces meublé, il n'y a que les numéros qui diffèrent. J'ai vu des plantes aussi, de vraies plantes, autour des nombreuses fontaines, j'étais extra touché, c'est vraiment une femme superbe qui tient ce lieu, et elle fait vraiment de son mieux, mais on se croirait tout de même dans la salle aux chevreuils, vous vous souvenez, *Soleil vert*, quand Ben-Hur essaie de donner la réplique à Edward G. Robinson pendant qu'on recycle des bennes de vieux en gaufrettes et en Pop Tarts.

Si mes parents étaient en vie, je les prendrais avec moi, malgré leurs protestations qui dureraient deux ou dix ans. Ils me feraient avaler de travers de temps en temps, ils voudraient que je vive ma vie, ils le répéteraient souvent, et puis il aurait fallu que j'apprenne à faire des piqûres, qu'on vienne me donner un coup de main de temps à autre, mais voilà, je m'occuperais d'eux jusqu'à leur bière qui est comme vous le savez un cercueil, c'est clair.

Je sais qu'ici je tourne les coins ronds, l'état des uns, le diabète des autres, et je peux bien tenir pareil discours, moi, maintenant, eh. Sont morts. Mais je ne parle pas des maladies et des craintes pointues, des ACV, des dialyses et des mères entubées pour qu'elles respirent un peu – j'ai assisté à ça, moi, souvent, vers cinq heures du matin, à l'Institut de cardiologie, et je ne le souhaite à personne. Je parle plutôt de vieux à peu près normaux, et de ce qu'il nous apparaît normal, de nos jours, d'abandonner à la médecine, de placer et de quitter, conscience à peu près tranquille. Les vieux qui le souhaitent? Est-ce que ça pourrait être une bête question de confiance, dites? Et si vous ne le soupçonnez vraiment pas, eh ben suivons ensemble d'autres cours ou n'importe quelles autres niaiseries qui nous empêcheront à nouveau de déposer un peu de temps aux abords d'une balançoire couverte.

Sur deux jambes

Je ne sais pas trop si on est au début d'un cycle ou à la fin. Je me demande souvent s'il n'aurait pas été préférable qu'on nous enseigne le manque, qu'il n'y ait pas eu tant de choix devant nous, ou qu'on nous apprenne au cégep que nous sommes *tous* nés avant un quelconque cataclysme, que l'amour est rare, et que les seules affaires vraiment précieuses se tiennent sur deux jambes – qu'elles en aient l'usage ou pas.

Moraliste aujourd'hui, le chroniqueur? Pff... Allez voir votre millier d'humoristes si vous voulez un nid de moralistes. Réactionnaire, dans ce cas? Eh bien, si vous trouvez réac de remettre en question des progrès qui nous empêchent de voir que ce sont les vivants, vieux, punks, tenanciers superbes de bars ou de foyers, Guatemaltèques saguenéens et Juliettes comblées qui importent le plus en ce monde, alors OK, réac, je signe. Mais ça embaume l'ingratitude et l'oubli érigés en sys-tème, les maisons froides, propres, rangées, qui sentent l'ammoniac et les livres lus une seule fois (quand ce n'est pas du tout), les résidences d'été, les tapisseries anciennes et les beurriers en cristal. Le vrai respect se trouve où? dites-moi. Dans le fait de dire: «Résidences pour personnes âgées etc.» au lieu de «foyer», ou dans celui de continuer à les appeler des vieux mais en les gardant près de nous?

Quoi qu'il en soit, le petit caillot que j'ai dans la gorge, en ce moment même, à l'instant où j'ai les yeux fixés sur un parking illuminé par la pleine lune à Chicoutimi, eh bien je ne vous le décrirai pas. Pas capable. On a beau être écrivain.

Vous repartez du Saguenay? Directement vers Québec, laissez donc faire, *L'Étape* et ses grosses frites sont-elles si attrayantes, Seigneur? Retour vers le lac? C'est beaucoup plus tentant. Ou alors à l'inverse, vers le fleuve par la 170? Belle idée: L'Anse-Saint-Jean, puis Saint-Siméon, les baleines à gauche, La Malbaie à droite, tout ça. Mais si vous n'êtes pas trop pressés, créchez quelques jours à La Baie, voyez *La Fabuleuse*, un show qui finira par rattraper *Broue* aux guichets, et ensuite repartez en diagonale, tout mouvement est source de vie les amis, essayez la petite route en lacets, la 381, qui mène directement de La Baie à Baie-Saint-Paul par les terres. En prime, vous longerez le lac des Ha-Ha, le magnifique, tellement plus québécois, tiens, que le Loch Ness – vous me direz si vous avez aperçu le monstre du Ha-Ha, vous, moi je l'ai vu moi je l'ai vu, et le coubain rhum n'y était pour rien.

Les Anges de la route

(Cinquante, cinquante-cinq ans, grisonnant, chienne bleue tachée d'huile, pince-sans-rire. Nous arrêtons pour le plein.)

— L'ordinaire est à soixante-huit cennes?

— C't'écrit là-là... (Il désigne le panneau; il étire son «là-là», je suis bien à Chicoutimi.) Le gaz est à soixante-huit dans tt'la ville mon mesieur.

— J'arrive de Joliette.

— Joliette? C'est Guy Chevrette, ça. Le gaz est à comment chez Chevrette?

— Sais pas. Ça doit friser soixante-douze.

— Ah ben! Peut ben être fendant (...) Le trouvez-vous un petit peu fendant, vous, Chevrette, avec son virage à drouète?

(J'ai répondu quelque chose, mais ça ne concerne que l'Ange et moi.)

— Ah... C't'un idée... J'vas vous faire les vitres, mon mesieur.

Perle d'Au

— Je dors en haut, OK papa ?

— Pas question. (Cette fois, je suis catégorique. J'ai peur qu'elle tombe en se retournant. J'ai toujours peur de quelque chose, faut dire.)

— Pourquoi ?

— J'ai peur que tu tombes en te retournant.

— Papa... T'as toujours peur de quelque chose. J'ai huit ans et demi...

— Justement. C'est pas le temps de tomber. (Je suis assez fier de celle-là.)

— Ben... Moi aussi j'ai peur que tu tombes... Peux-tu comprendre ça ?

Je reste muet. Vous auriez répondu quoi, vous ? Elle a dormi en bas, ce soir-là, mais je me suis senti moche et vieux. Mes Barbus m'ont eu. Cet été, Aurélie commencera à dormir en haut. Ça passe vite marquise, Dieu que ça passe vite.

Prendre

Florence : – Émile, t'es tard. Soupes-tu ? J'ai des restants.
Émile : – Merci. J'ai des livres à lire pour demain.
Florence : – T'es tout blême. T'es tout maigre. Tes livres
prennent plus de place que toi. Tu devrais pas les lire.
Tu devrais les manger.

Maxime Trudeau
Les Enfants du monde (théâtre)

14 juillet 2001

Prendre, c'est beau. Et cet article pourrait s'arrêter ici. (Ça nous ferait une belle photo pleine page de l'essentiel : Aurélie, sur la butte au sortir de Baie-Saint-Paul, par la 138, vers Les Éboulements. Et un cachet vite fait.) Mais eh, oh, quoi, bon. Pas mon genre.

Prendre, donc. « Hum… Mauvais mot », murmurez-vous peut-être d'emblée. Trop riche, trop dense, trop chargé. Car on peut prendre son temps mais aussi son trou, le mors aux dents, les jambes à son cou, son courage à deux mains ou en prendre plein la gueule ; on peut prendre une femme comme elle souhaite elle-même être prise, et être accusé de l'avoir prise comme une forteresse ou une cité. La porte, la poudre d'escampette, l'air, le risque, le blâme, le pouls, de la distance, on peut tous les prendre. On peut à la fois prendre un enfant et prendre son huile, c'est d'un comique absolu, tout s'invente sous prendre, comme sous n'importe quel mot formé par les humains pour dégager un peu de sens de cette boue que le langage vient parfois liquéfier.

Prendre reste pourtant fabuleux. Responsable, assumé et ancré. Nous méritons tous de le faire, nous avons tous besoin de l'être, parfois avec une infinie douceur, parfois avec cette fermeté tranquille qui nous offre la paix momentanée d'une relative protection. On se fait mourir avec les sens que nos ancêtres ou nos voisins ont eu besoin de clouer sur les mots. On se fait mourir et on assassine aussi, dès qu'on laisse une grille se poser sur le lieu à naître entre un mot et soi. La rectitude, insidieuse, va jusque-là, et elle contamine notre regard sur les petites vérités de ce monde, nous privant souvent du bonheur de voir les autres et de les prendre tels qu'ils sont. Dans *Le Petit Robert*, il y a quinze entrées entre rectitude et rectal.

Enfin, vous le saisirez, vu d'ici, prendre et être pris, c'est très beau.

Je vous souhaite en ce milieu d'été de prendre et d'être pris comme vous êtes.

Récréation d'avant-midi : mordre dans une tomate

Pause-santé après cette œcuménique ouverture, recommandation du jour : audace et giclée. Faites-moi plaisir. Seul-e avec une tomate, personne vous voit, vous mordez dedans. Comme une pomme. Ça vous explose dans la bouche, hein ? Super. Pouvez m'écrire vos impressions. Nous dépendons de mille choses simples que n'avons qu'à faire. Mordre dans une tomate, marcher pieds nus dans une rivière, se baigner la nuit, dire : « Je t'aime ». Les choses sont là et nous appellent. (« FAITES-NOUS ! » chuchotent-elles.)

Chers bourreaux

À l'arrivée du Saguenay, à Baie-Saint-Paul, je suis tenté par l'idée de rouler vers Québec, pour en chemin arrêter casser la croûte avec Yvon Rivard, dans la maison de Gabrielle Roy, mais ça spinne à l'os vers Québec, je n'ai pas ce courage. (Spinner à l'os... C'est difficile à expliquer. D'autant que je discerne maintenant plus clairement comment cette série pourra marquer ma trajectoire d'écrivain, pas tant pour moi ou ce que je laisse parfois échapper que pour quelques ayatollahs qui m'en veulent de m'interroger de cette manière sur ma langue et mon pays. Je le sais, j'ai leurs courriels. Mais qu'y puis-je ? Devrais-je truffer ces articulets de plus-que-parfait du subjonctif ? Ériger des citadelles et sacrifier mille mots sur l'autel du dictionnaire des synonymes ? Faire mine d'ignorer que ce ton ramène au *Devoir* au moins une personne qui ne le lisait plus (merci de cette confidence, Gilles G.) ? Ma petite liberté a été si chèrement acquise, si vous saviez, chers bourreaux... Alors s'il vous plaît, écoutez, si cela vous est possible, taisez-vous un peu. Ou regardez ailleurs un moment, je ne brillerai pas longtemps, ce n'est pas mon genre non plus.)

Baie-Saint-Paul, donc, pour le Balcon Vert entre autres, petits souvenirs déjà lointains, Guy

Marchamps en *cheerleader*-chef, D. Kimm en agent de circulation, et puis Letartre, Péan, Dupré, Caron, Moutier, des lectures pendant trois jours. *Jam* tranquille autour du West, et puis Robert-ami-peintre, cinglé lui aussi, qui immortalise tout le monde et qui offre ses esquisses à la sanguine, comme un Diogène moderne, à des gens qui ne se doutent pas qu'elles valent trois cents dollars pièce.

J'aime beaucoup retourner où je suis déjà allé. J'ai l'impression d'exister un peu plus, quand je retrouve, revois, relis. Comment vous expliquer ma maladie? Ne pas faire l'amour tout de suite avec une femme, c'est tout à fait moi – même si ça m'a valu quelque inimitié, certes –, mais bien sûr le faire, eh, ne pas se priver, quand le temps est venu – et atteindre ainsi nos joies ultimes, une première fois; magnifico. Mais le fin du fin, c'est recommencer, avec cette même femme, revisiter ses lieux et les miens, approcher davantage, chaque fois, entendre de nouveau ces soupirs-là qui deviennent lentement des copains, et recommencer encore, jusqu'à peut-être connaître. Enfin vous voyez, c'est ce que j'aime, je ne suis pas très original. Et c'est sûrement pour cette raison que je préfère la réécriture au premier jet – cette image ne passera pas à l'histoire, mais ça dit ce que ça dit, j'espère.

Ce qui m'amène à la Madone de l'Île aux Coudres – ne voir ici aucune allusion de dégénéré qui aimerait s'envoyer une statue, s'il vous plaît.

La Madone et les étoiles

Faites le tour de l'île doucement, à vélo si vous pouvez, ils en louent partout. (Coudres pour coudrier, au fait, un petit arbre. Cartier aurait « trippé fort dessus », à ce que m'en dit une jeune étudiante en Beaux-Arts à l'Université Laval, qui mitonne d'indécentes pizzas aux fruits de mer, j'ai oublié le nom du resto, mais tournez à droite en haut de la côte, après le traversier, c'est à moins d'un kilomètre, à droite aussi, allure un peu miteuse, chaises trop droites, mais vue sublime sur Baie-Saint-Paul à partir de la terrasse, et accueil de bas de fleuve.)

Aurélie et moi avons dormi à la Pointe du Bout d'en bas, celle qui donne sur la mer. (Je vous révèle comment nous nous y sommes pris, mais vous ne le répétez à personne, d'accord ?) La Pointe du Bout d'en bas est un gigantesque triangle truffé de petits sentiers, un lopin de terre qui appartient à des gens que je dirai en toutes lettres, ici, exceptionnels. Ils ne veulent pas de campeurs – ils ont cent fois raison –, mais ils tolèrent les jeunes de l'île, qui parfois y passent une nuit complète pour jouer de la guitare ou faire l'amour. Or, un gars un peu fûté se renseignera auprès de qui, vous pensez, pour un endroit où dormir ? Eh-eh : les jeunes de l'île (qui mitonnent parfois d'indécentes pizzas aux fruits de mer ; deux et deux font quatre). Un portail empêche les ouennabagos et autres stations spatiales d'entrer, riche idée, mais en dévissant le miroir de gauche de Capucine nous sommes passés fa ci le ment, deux bons pouces à gauche et à droite. Nous avons ainsi pu explorer ce triangle fabuleux, bordé par le fleuve, et nous asseoir au pied de la Madone qui protège les marins, vierge juchée sur une roche parfaitement ronde, à l'extrémité de la Pointe. Plus tard, dans la nuit incendiaire, j'ai réveillé Aurélido pour lui montrer ce qu'on veut dire quand on affirme qu'il y a plus d'étoiles dans le ciel que de grains de sable sur une plage, que la Terre est vaste, l'Univers inimaginable, que nous sommes bien petits, et que c'est là que commence notre grandeur. J'imagine qu'elle n'a pas tout compris, trop éblouie, légère et menue dans mes bras, comme au sortir de sa mère, un peu trop dans les vapes aussi. Mais elle se rappellera ce moment de grâce, dans vingt ans, comme on se rappelle un serment.

Récréation d'après-midi : DmdD.

« Derniers Mots de Dieu ». Mon doux et ben oui, j'ai complètement oublié de courriellimailer la sélection de la semaine dernière, vous m'en voyez bien penaud. En voici donc deux. De Nathalie O., probablement de Montréal : « Attendez, je n'ai pas dit mon dernier mot ». (Ouf… Glacial. On dirait la série des Freddy. Certitude du retour. Brr.) Et de Philippe P., Montréal aussi, étalon de la plus tendre Sandrine que je connaisse, qui me plonge vertement le nez dans mon propre jeu en me rappelant amicalement que : « Dieu est la réunion de toutes les paroles, de toutes les syntaxes et de tous les sacrifices. Il n'a jamais prononcé une seule parole. Il ne peut pas donc pas en avoir prononcé une dernière.» (Ça semble bien sérieux mais soyez patients, le type est italien et il a de la ressource.) «Jésus par contre, précise-t-il, aurait dit (prenez l'accent de Pagnol): « Putain de merdeu, j'ai oublié mes sannedales chez le cordonnier...» (Jésus, au dernier moment, qui s'arrête à quelques riens, ses chaussures, ses oublis, voilà qui est ma foi bien humain, et fort sympathique.) Cela dit, notre ami Philippe se rabat néanmoins sur Jésus. (Ce n'est pas le premier, faut dire.) Et Dieu s'en tire encore.

Courrier et prudence

Bon bon bon. Vous vous êtes pris d'affection pour ce tour du monde en Québec, vous lisez les perles d'Au en premier, Monsieur Savon dans toute sa blondeur vous fait marrer, et voilà que vous vous mettez à avoir un petit peu peur pour nous, les accidents, tout ça. Écoutez, ça me touche, et vraiment, mais tentez de vous rassurer. Je ne suis pas blindé, c'est vrai, et question de fugacité de l'existence, je sais qu'un poteau de téléphone peut pousser n'importe où, mais j'ai une âme de moto-cycliste. Dans la vie c'est un défaut assez patenté, mais sur la route ça se transforme en atout. (Âme de motocycliste, c'est-à-dire que je pense un peu pour l'autre, et je multiplie les possibilités par une règle de trois que je divise par le nombre d'imbé-ciles heureux qui infestent les routes. X va-t-elle faire son arrêt? Z m'a-t-il vu avant d'ouvrir sa portière?, etc.) Et rappelez-vous la vision périphé-rique du joueur de basket qui regarde droit devant, et qui voit cependant clairement derrière (ce qui est fort utile dans une salle de cours, notamment pour faire saisir à de jeunes chevreuils à casquette John Deere qu'il y a devant eux quelqu'un qui ne se contretorche pas de ce qui arrivera avec leur agricole avenir, surtout en matière de culture générale, apparemment inutile au temps des semences, c'est vrai, mais il y a seize ans j'avais cent trente têtes de bétail au pacage, longtemps avant qu'on m'accroche un doctorat en littérature au cou, je crois que ce n'est pas rien, et ça m'a appris l'humilité – je mourrai trait d'union entre deux affaires, c'est à peu près sûr).

Si bien que je suis à peu près certain qu'au cas improbable où un fâcheux nous choisissait pour cibles, sur la route, le bougre arriverait d'en haut ou d'en dessous. D'en dessous je l'élimine, en bon Taureau (mai) Buffle (1961), je crois à la terre. Et d'en haut il reste quoi? Une Beetle bleue basculant bêtement d'un viaduc, un hélicoptère ou un avion – mais je verrais arriver l'ombre, on parie? Ou encore, j'avoue (et ça, c'est vrai, ça me terrorise), la gigantesque fiente, la bouse grosse comme un lac d'un aigle énorme venu en éclaireur à la verticale de nos terres, un pouding qui nous tomberait droit dessus et dans lequel nous nous enfoncerions comme dans un Jell-o visqueux, pour ne plus en ressortir, voire pour finir par trouver cette merde confortable. (Ceux qui percevraient ici une allusion plus ou moins sevrée à ce que je pense réellement de la ZLEA n'auraient pas tort – je n'abuse pas des conditionnels, c'est juste un pastiche des textes délavés finalement publiés sous l'égide de Meusieur Pierre Pettigrew, ministre.)

Mais je reviens à nos moutons – je ne vise personne. C'est certain que parfois j'y pense, surtout quand Aurélie est là. Tout peut arriver, tout le temps. C'est tellement fugace, ce que nous partageons vous et moi, je parle de la vie. Alors j'y pense, et je suis prudent. Merci, cela dit, de votre sollicitude ; elle me touche et m'accompagne. Comme un vent… (Par ailleurs, reprenons-nous dès après ces trois points de suspension fort touchants et ne l'oublions jamais, dans la vie c'est toujours le pessimiste qui gagne et enterre l'optimiste. Je veux dire : celui qui ne croit pas avec autant de ferveur ne fera pas avec autant de fermeté le geste qu'il a à faire, ne priera pas avec autant de foi, ne travaillera pas avec autant de cœur, ne ramera pas tout à fait jusqu'au bout du mouvement, de l'*ego* et de l'âme. Imaginez un seul pessimiste avec L'Avalanche du Colorado, une seule paire de fesses serrées, et notre bon Raymond Bourque n'a pas sa coupe. C'est toujours le pessimiste qui fait la différence et l'emporte, mais l'optimiste n'a pas pour autant le droit de priver cette Terre de sa ferveur. N'oublions pas, un coup partis, que ceux qui ont écrit les livres d'histoire sont ceux qui ont pendu les héros.)

Allez. À plus tard.

Les Anges de la route

(Préposé au stationnement, CHRDL, Joliette. Roux. Barbiche. Joufflu et souriant. On dirait Poil de carotte, de Maupassant, en plus nourri. L'air d'un préposé, alors je ne me méfie pas, je lui tends mon ticket.)

— Ça ne me coûtera rien, je suis resté moins de quinze minutes…

— Tout est payant maintenant, monsieur, même les quinze minutes.

— C'est vrai? Depuis quand?

(Je pense déjà à ce que je lui dirai, inacceptable, maudit profit, mondialisation, Sommet de Québec, Pettigrew, le grand jeu.)

— C'est parce que vous êtes pas venu à l'hôpital depuis un petit bout de temps monsieur…

(Je retiens mes avis; les points de suspension me font toujours un effet d'eau de Javel. Je n'ai presque plus envie de critiquer. Il reprend.)

— Savez, y a moyen de pas le voir comme une mauvaise nouvelle…

(Je le regarde, blanchi et vaincu.)

— Aïe. Vous, vous allez être dans mes Anges…

(Il me dévisage deux ou trois secondes, peut-être quatre. Il se demande pourquoi ils ne m'ont pas gardé plus longtemps. Il donne un petit coup de tête vers la guérite.)

— Faut avancer monsieur.

Perle d'Au

— Pourquoi pas manger dans un bol, papa ?

— Ça fait moins de vaisselle.

— Pas grave. Je la laverai.

— Me semble…

— Papa…

Et d'un seul coup vous allumez. Vous voyez à quel point vous devenez un croûton parfait. Parce que dans chaque chose, vous voudriez lui apprendre la joie, mais vous visez des montagnes, alors qu'elle, elle vous rappelle que sa joie est dans le fond d'un bol.

— Pourquoi pas manger dans un bol, papa ?

— Euh… OK.

— Hein ? Ça va, papa ? As-tu de la fièvre ?

— Aurélie. N'exagère pas, OK ?

— OK… Veux-tu un bol, toi aussi ?

Vous dites oui.

Barre de cuir
de Barbus

*Il avait perdu sa virginité sur ce pont, à seize ans,
avec la belle Liliane. Le traverser lui rappelait toujours
des souvenirs agréables, du temps où il avait des rêves.*

Catherine Meritxell Deslongchamps
Thomas

21 juillet 2001

Il suffit parfois de rouler seul un moment pour descendre en rappel dans ses peurs, ses échecs, ses erreurs, son impuissance. C'est le repaire de nos Barbus intimes, qui bourrent les nuits de fagots séchés auxquels ils boutent ensuite le feu. Nuits d'orage, éclairs fous, incendies. Les Barbus rôdent dans les chambres, les salons ou les chiottes, et possèdent le terrible pouvoir de convertir un grain de beauté en cancer de la peau, et chaque geste de l'autre, chaque parole, chaque allusion, en offensive contre soi. Il faut leur résister, mais leur tactique est géniale : nous sommes effrayés, nous avons peur, notre peur se mue en colère ou en rancune, et nous voilà persuadés que l'autre est un salaud, qu'il en veut à notre âme, notre terre, notre intégrité. Alors escalade, et bientôt haine. Quand on se durcit les Barbus se frottent les mains, quand on se fâche ils rient, quand on prend les armes ils tapent des *high five*, ils viennent de shooter pour trois points.

Leurs commandos pilonnent la Terre en permanence. Leur première équipe tourne à la verticale du Proche-Orient depuis cinquante ans, leur seconde cautionne l'assassinat d'innocents par l'ETA, leur troisième parcourt l'hémisphère boréal en appelant les Noirs des nègres, etc. En mille lieux, les Barbus sévissent, et le père d'Aurélie, absente quelques jours, résiste mal aujourd'hui à ses propres épouvantails. Alors il avale de l'asphalte comme si l'essence était gratuite, il roule, il pense à l'avenir de cette gosse, il a un peu peur, et il verse peut-être une petite larme, mais à quatre-vingt-dix kilomètres/heure, rien n'y paraît.

Déraper est ainsi toujours possible.

Imaginer cette planète déserte ou folle, aussi.

On crie, on appelle, on prie, mais ça résonne comme dans un seau.

J'ai un ami, Rémy, deux fois vainqueur du cancer et porteur des expressions les plus savoureuses du monde. Au sujet de cette solitude intense et de cette impuissance immaculée, il dirait : « C'est comme un grand boutte pas de maison... » À l'image de ce que vous ressentiriez devant le plus long cul-de-sac du monde, tiens, la 109, après Amos, vers les barrages. Rien pendant trois cents kilomètres, à deux ou trois reprises, ça place un gars. Je ne l'ai pas roulée encore, mais je me la ferai, peut-être avec petit Louis joueur de flûte et sa Solène, partis vivre un an de bois en Abitibi. La 109 est quelque chose de trop grand pour mourir avant.

Et « Barre de cuir », c'est le seul patois que j'ai entendu dans la bouche de mon père. Jamais dit « tabarnak », jamais dit « ostie », du moins pas à ma connaissance. Alors j'ai voulu le mettre en titre, comme ça, pour rien. (Vous ne faites jamais rien pour rien, vous ? J'ai l'impression, moi, que ce sont là mes activités les plus précieuses.)

À l'équerre

Bonjour, bonjour, bonjour, vous inquiétez pas, j'ai déjà vu neiger, je redresse.

Je suis au Lac à l'équerre, près de Saint-Jovite. Première invitation acceptée, chalet d'une Michèle qui loue ici pour l'été mais s'absente une semaine, Cape Cod je crois. D'abord, je ne vois pas la pertinence de quitter cet endroit magnifique, mais elle part avec deux vraies copines, Danielle et Geneviève, et là je comprends mieux, l'amitié vaut Cape Cod. « Vous le voulez ? Il est à vous. » Belle dame. Il y a de la graine d'essentielle là-dedans, et je crois que ses proches le savent. Elle a manifestement fort bien lu le premier article, du reste : sur la table de nuit, cadeau de séjour, un *Té Bheag* (prononcez « t'chévèk »), « *Possibly the best blended whisky you have ever tasted* », affirme l'étiquette. Vous tasterez vous-mêmes, mais je vous le très recommende-blended.

Je crèche donc gratos dans l'un des chalets de Gilles Lanthier, qui a vu se développer le Lac à l'équerre. (C'est Jos Lanthier, dit Bourdeau, le grand-père, qui a défriché et transformé sa terre en lots vendus un par un.) Lise, sa compagne, promène les chiens, rentre du bois, tape des thèses, elle doit cuisiner aussi, c'est comme rien. « À l'époque, dit Gilles, icitte y défrichaient du gros pin, pis y savaient plus quoi faire avec le bois, y l'faisaient brûler en tas. Astheure on va acheter un deux par six, ça nous coûte cinq piastres...» Gilles n'en revient pas de son monde, s'étonne de tout, mais sait encore rire. C'est le seul homme que je connaisse qui s'est foulé une cheville pendant un voyage de pêche. Si vous lui en parlez, il vous racontera Senneterre, entre mille intrépides activités, dont celle de basculer dans une côte avec un tracteur à pelouse. J'étais là à ce moment précis, figurez-vous, pour l'empêcher de se retrouver sur la coque – et je crois que c'est moi qui suis chanceux. Lise l'a sermonné, lui a passé un vrai Monsieur Savon. Dans sa remontrance cramoisie, il y avait autant de colère que d'admiration. C'est qu'elle l'aime, simplement, et c'est près de lui qu'elle veut mourir, point. Ça mettrait à la rue pas mal de psys, si on finissait par se poser sérieusement cette petite question-là. Près de qui veut-on non seulement vivre, mais aussi mourir ? Ça réglerait beaucoup des insignifiances que nous prenons pour des montagnes.

En tout cas, avenants comme Lise et Gilles, d'habitude c'est dans les archives de l'ONF.

Suggestions de la semaine

1. Faites l'amour (à deux). Si vous saviez comment les Barbus tapent du pied quand vous faites l'amour (à deux). 2. Souriez à un inconnu (le masculin est utilisé ici pour les raisons que vous voudrez). Dites-lui bonjour. Si vous êtes culottés sans bon sens, offrez le café. 3. Sortez sous la

pluie, baignade si possible. Et si vous pouvez le faire à deux ça aussi, eh ben… Eh ben, veinards.

Pédalo, paix et surréalisme

Le Lac à l'équerre. Pas de moteurs, lac de tête abreuvé par des sources souterraines – écoulements de Tremblant entre autres. Au début, un lac à truite, mais d'aucuns ont ensemencé du maskinongé. Imaginez la curée.

Si vous ne savez pas de quoi a l'air un maskinongé adulte, prenez une gosse de huit ans (« Et demi, papa »), faites-lui tendre les bras en croix, et expliquez-lui le plus doucement possible que les plus gros maskinongés sont à peu près de cette longueur-là. Alors les truites, il n'y en a plus, mais des achigans les ont remplacées – c'est plus vif, et néanmoins succulent en *charcoal*, papier de plomb, petites patates, basilic ou menthe, mettez de l'eau en masse, un sachet complet de soupe à l'oignon, et votre fleur préférée. Laissez cuire le temps de l'apéro sur des braises invitantes. Miam.

Je suis en pédalo, au milieu du lac ensoleillé, je tiens le gouvernail, Monsieur Savon dort à gauche, j'étire tant que je peux une petite bière allemande, je dérive et je lis *Tout près*, de Louise Dupré (offert par Manon, dans un élan de larmes et de grâce, au moment de la perte du père de ses enfants ; courage, mon amie). C'est complètement surréaliste, et Dupré continue d'être Dupré dans son œuvre poétique, c'est-à-dire dense et juste. « Apprendre à prononcer le nom de mon père en souriant, consentir, solide devant les carillons des églises ».

Souvenir d'une conversation avec Louise, il y a cinq ou six ans, à Limoges je crois ; il n'était guère question pour elle d'être tranquille avec l'idée du père. Et maintenant, dans *Tout près*, je crois discerner une sérénité nouvelle – ou je sais encore l'inventer, ce qui est aussi bien. Plus loin : « Ces petits désastres qui ont fait de nous des bêtes effrayées, léchant leurs plaies dans des criques obscures. Poème. Poème si nous arrivons au bout de l'abandon, avec le bégaiement presque heureux des êtres après l'abîme. »

Si ce n'est pas ça, appeler la joie et se dresser contre les Barbus, je n'y connais rien. (Comme je souhaite à mes amis de retrouver un peu de foi... Quelques traces, des souvenirs poreux, pas trop marqués, pas trop salopés. Et à mes ennemis, s'il en reste, ou s'il en pousse à cause de ces carnets, aux jaloux, aux crotales, aux médisants comme à tous les chercheurs de bestioles, qui en trouveront évidemment toujours, je le souhaite aussi.) Mais, surréaliste, disais-je. Et ce n'est pas fini, écoutez ça.

Il est dix-huit heures, donc, soleil de générique, je sirote en pensant à vous, et voilà qu'Aurélie, ma seule fille qui me rejoindra demain, choisit exactement ce moment pour appeler... Aïe... Répondre à Aurélie, grâce à ce cellulaire, au milieu du Lac à l'équerre, lisant Dupré qui parle du père...

Sur ré a lis teu.

Nous vivons quand même une époque formidable.

Nous devons tant à ceux d'avant, qui nous ont permis d'approcher ainsi les cimes. (Image : vous et moi, assis sur une pile de livres. On jase. À nous de jouir de ce privilège, à nous aussi d'assumer cette responsabilité. On ne peut arrêter les tueries au Proche-Orient, mais on peut parler, écrire, apprendre, et être des passeurs. Petits peut-être, mais tenaces et acharnés. Rappelons-nous, c'est toujours la minuscule hirondelle, dans un ballet grandiose, qui pourchasse la grosse corneille qui s'est trop approchée des oisillons.)

J'en étais où? Ah oui, la vie. Sur le chemin Le Boulé Est, entre le lac Supérieur et Val-des-Lacs, à proximité du lac Quenouille. Les sentiers où marcher. « La grise ». Très recommendeblended. Apportez du mélange montagnard, noix, miel, raisins secs, dattes, etc., j'ai appris ça à Katimavik, Bowen Island pendant trois mois, c'est en British Colombia, j'avais vingt ans, ça fait vingt ans.

Le lendemain, la beauté

Aurélie est enfin là. Elle pêche à la puise des têtards et des grenouilles, de l'eau aux cuisses. Sa vie coule comme une eau, chaque rien devenant le prétexte à des souvenirs qui m'échappent déjà. Je devrais la filmer, la photographier, tenter de retenir ce que je vois, mais j'aurais les yeux fermés à travers l'objectif, sur ce qui de toute façon fuit. Alors de temps en temps je résiste aux clichés, je suis probablement très, très con. (« Viens voir, papa! »)

On s'est offert elle et moi deux jours de nettoyage, on carbure aux fruits et légumes – Savon n'a pas voulu jouer avec nous. Ce n'est pas que nous n'aimons pas la viande (même si depuis l'affaire d'une tête de rat dans un Big Mac, Aurélie ne veut enfin plus rien savoir des *McDo*, yé, voilà un combat de moins à mener), c'est seulement pour aller visiter une autre partie de nous. Nous pêcherons demain soir des poissons incroyables grâce aux conseils du spécialiste, un autre prénommé Gilles, père du compagnon de la mère d'Aurélie, lequel compagnon est aussi le papa du demi-frère d'Aurélie, enfin je vous passe les détails mais j'ai l'impression que de nos jours, si on voulait inviter cinq personnes, ça prendrait six chambres, une espèce de Suisse domiciliaire. («Papa! Viens-tu?»)

Je balaie du regard l'intérieur de ce chalet envahi par les Barbies, je vois le *Té Bheag*, certes un peu entamé, et j'espère que la grande roue du Bien va tourner, afin que soit rendu à cette Michèle, notre hôtesse, un peu de ce qu'elle permet; qu'à son retour elle se retrouve, ainsi que les gens qu'elle aime. J'ai une chance que mon petit talent n'arrivera jamais à décrire. Alors s'il vous plaît, aujourd'hui, vous allez y mettre du vôtre avec moi (comme dans *Les cent tours de Centour*, vous vous souvenez? le bracelet qu'on secoue : «Toutoutout-toutoutoutout-tout!»). Vous allez vous efforcer de voir dans votre voisin quelqu'un qui porte des perles et des trésors. Parce que c'est vrai, même s'il a une face à fesser dedans. Et votre regard et vos mots, dès lors, feront jaillir d'autres pépites. (Répétez à une femme qu'elle est belle pendant sept jours ou trente-sept ans, et regardez-la embellir à mesure.) Le langage possède cette force étrange et grandiose d'appeler la vérité. («Papa!»)

Et de faire un père cesser d'écrire, afin d'à la puise se rendre pêcher des ouaouarons.

DmdD

« Derniers mots de Dieu », je répète les consignes pour ceux qui étaient dans leur *Saturday morning headache* depuis un mois : pas de consignes. Seulement ce que vous croyez que seraient les DmdD. Un porto au gagnant, c'est moi qui régale. Suite trépidante de ce concours guilleret, suggestion de Hélène H., de Québec : « Avoir su... » (Dieu, le doigt dans l'œil jusqu'à l'os du coude. Tripette l'ubiquité et la science infuse, Le voilà ramené à Sa mortelle imperfection, Ses espoirs éteints, Ses coups d'épée dans l'eau. Je me demande si Dieu a déjà été contraint de faire réchauffer des restants, et si nous en faisions partie.)

Je nous souhaite à tous, cette semaine, de rester debout, solides et pacifiques devant qui vous savez, ça commence par B, et ce n'est pas Barbie.

Les Anges de la route

Curieusement, je suis dans une forme tellu-
rique, splendide – me perdre dans les terres me fait
souvent cet effet-là. (Je suis dans les Bois-Francs,
mais bien en peine de dire où exactement.) J'arrête à une cabane à patates, et m'apprête à com-
mander sans sourciller une grosse poutine. (Au
seul mot : *poutine*, mon foie supplie.) La jeune
propriétaire, bien en chair, s'appelle Madeleine. Je
regarde Madeleine droit dans les yeux, comme un
chat regarde son panier, j'y mets tout ce que je
suis, et je lui dis :

— Madame Madeleine, je serai clair. Faites-
moi votre meilleure poutine. Plein de fromage, pas
trop de sauce, plein d'amour dedans, et je vous la
paye le double.

Madeleine me regarde une seconde, interlo-
quée. Ce n'est pas la première poutine qu'elle
vend, pas le premier cinglé qu'elle sert, elle dispa-
raît derrière d'impressionnantes friteuses pour
revenir au bout de quatre minutes, les yeux pleins

de sollicitude envers le représentant du genre, c'est moi. Elle prend bien son temps et elle dit :

— Pour vous, ça va être le même prix...

Seigneur. Sei-gneur.

Qu'est-ce que vous avez toutes à être si belles ?

Perle d'Au

— Papa, Savon vient de me frencher.

— Ouash.

— Une grande lichée.

— Ouash. Lé-chée.

— Lé-chée, d'abord. Ben non papa. C'est pas si pire. Ça goûte rien.

— Où t'as appris ce mot-là, frencher ?

— À l'école. (Aurélie va dans une école dirigée par une congrégation religieuse…)

— À l'école ?

— Ouais.

— Non mais… qu'est-ce que je vais faire avec toi ?

— C'est plutôt moi qui vais m'occuper de toi…

— Je te laisserai peut-être pas faire… (Je la jauge, je crois que nous commençons là une longue et intéressante conversation.)

— Bon. Là-là, je vais lire un peu.

(Non mais… Barre de cuir… De ciboire. Je l'ai prononcé tout bas, et je comprends, à quarante ans, que c'est probablement ce que papa faisait aussi.)

La côte, l'oiseau, la toile de Picasso

Ce dont je me souviens relève plutôt
de ce qui m'a été raconté.
Et s'il m'arrive parfois de donner vie
à une photo qui porte mon nom,
je dois dire que cette petite fille,
je ne la connais pas.

Rachel Décarie
Quattro

28 juillet 2001

Changement de programme. Vous serez d'accord avec moi dans une page à peine ; faut être prêt à tout dans ce périple, et savoir humblement tirer leçon du reste.

Savez ce que c'est, deux amis d'enfance, deux petits gars, ça joue, ça gage, ça se dispute le titre de meilleur lanceur de la paroisse, puis ils vieillissent, l'un se met à écrire, l'autre à peindre, mais des fois ils régressent, ils boivent un rien plus que de raison et luttent à la fin de la veillée, comme dans le temps, pour voir où ils rouillent. Robert, ami et cinglé mais aussi peintre, a encore pas mal de *punch* malgré sa tête blanchie à la chaux et ses quatre-vingt-dix kilos pas tous en muscles – mais ça a tout de même fini 1 à 1 dans les « OK-OK-OK ! » (qui veulent dire, rappelez-vous : « Lâche ta prise, t'es en train de me tuer »). Or quand moi je lui ai fait avouer ses propres mots doux (petite clé bras/cou toute simple, par-derrière il faut dire, je suis un lascar), il est tombé à la renverse, ce gueux. Sur l'écrivain. Une côte fêlée, deux cassées, un bilan de merde. (Et un délai de cinq jours avant d'aller consulter les autorités compétentes parce que je croyais la douleur musculaire – des côtes cassées, voyons, pas moi, vingt ans à faire tous les sports du monde sans rien briser, je ne m'attendais pas à ce que la fracture vienne du poids de l'artiste.)

Le médecin, Adam Zxxllyyltttœ, chic type, un Polonais, constatant que je me baladais avec des côtes cassées depuis cinq jours, m'a dit : « Avez-vous oune idée dé vôtré résistance à la douleur, monsieur ? » Je l'ai regardé, et puisque la connaissance, même furtive, et l'édifice ambré du Savoir me redonnent toujours un semblant d'allant, j'ai rétorqué : « Qui vous a raconté que j'étais amoureux ? » Il a éclaté de rire, ce que je ne suis pas encore capable de faire, et il m'a confié qu'après deux semaines d'anti-inflammatoires, je vaquerais normalement, que je ressentirais de la douleur entre trois et six mois, c'est vrai, mais après, presque plus rien. Si ce que ce Polonais dit est vrai, si six petits mois sont le prix à payer pour cicatriser les vraies blessures, c'est une aubaine, je souhaite des fractures à tout le monde.

Alors moi qui voulais gagner Rimouski puis Matane avec Aurélie, j'ai plutôt rôdé autour de la clinique vétérinaire, sans trop m'éloigner parce que je suis un bon chien. Trois-Rivières, Nicolet, le traversier à Sorel. Du bonbon. (Aurélie a été reconnue par Claire Cusson, gentille dame qui s'est approchée de nous, dans le coin de Saint-Barthélemy... Vous nous habitâtes un beau moment, Claire Cusson, merci d'avoir osé nous parler, Aurélie pense que vous êtes une voyante parce que vous l'avez reconnue.) Bien pour dire que tout ce qu'on sait, c'est bel et bien qu'on ignore tout et son contraire y compris la Caramilk; faut être aux aguets.

Mais je me ferai le Bas-du-Fleuve un peu plus tard, ou après-demain, et j'y rencontrerai quelques-unes des personnes qui m'y ont si bellement invité. Je vous tiens au courant.

L'oiseau, l'âme, la conscience, le bon sens

Mais c'est pas tout, ça, vous ne me lisez pas que pour les avatars éthérés de l'amitié.

Sur la droite de l'autoroute 40, à la hauteur du lac Saint-Pierre, près de Pointe-du-Lac, un huart à collier (avec un *t* pour l'écrire comme sur les billets de vingt). Accroupi, le cou tendu en forme d'appel à la race. Puisque je vais si lentement, puisque j'ai si mal aux côtes, je l'entends, moi, et je le vois, qui nous regarde tous nous précipiter, alors je m'arrête, je recule, je descends du West, je m'approche de lui, j'avale ma salive, je suis heureux que la petite ne soit pas avec moi parce que déjà je sais. Immobile, ce huart, mais les yeux pleins de vie – regard franc des soldats de première ligne, trois secondes, puis tremblements, yeux de merlan frit, comme s'il voyait le pape à l'envers, et puis de nouveau, trois secondes, sa lucidité suppliante posée sur moi: «N'hésite pas, supplie-t-il, n'hé-si-te pas». Je hais les oiseaux qui parlent, leurs mots sont plus clairs que leurs chants; on voit bien qu'ils ne consentent au langage qu'au moment d'y être acculé.

C'est l'arrière-train qui est le plus touché. Les pattes arrachées, en fait. Le sang est caillé, la blessure est vieille d'un peu plus d'une heure. Il a dû essayer de décoller du terre-plein sans attendre le feu vert, et alors une voiture. Un petit plouk sur un pare-chocs.

J'aurais pu lui donner un dé à coudre de quelque chose de fort et dégager – c'est d'ailleurs ce que Gingras, dans *La Presse* (20 mai 2001) – dans la foulée du Service canadien de la faune d'ailleurs –, recommande de faire. (Non mais c'est quoi l'idée, Seigneur ? On nous suggère de mesurer notre compassion, de la doser et de l'économiser. On nous invite à ne nous mêler de rien et à ne pas utiliser ce qui peut nous rester de bon sens dans un monde où une dame, accidentée de la route parce que fin soûle, poursuit son employeur de lui avoir offert un *bar-open*, et gagne. Un monde où un cinglé qui a mis un chat vivant dans un micro-ondes a eu gain de cause devant les tribunaux contre la compagnie qui avait omis de spécifier dans le mode d'emploi de l'appareil qu'il était peu recommandé de le mettre en marche avec un animal vivant à l'intérieur. Oui madame-monsieur, gain de cause, c'est ça notre monde. Une société de droits qui perd le contact avec le bon sens. Essayons de ne jamais confondre le droit et la justice, s'il vous plaît, ni le juge et le père, même si c'est souvent ce qui se passe quand la faune, les hôpitaux ou les forêts sont gérés à partir d'un édifice X.)

J'aurais pu dégager, donc, mais je ne me suis pas fié au Service canadien de la faune. Je suis retourné au West, je savais que je ne pourrais pas rouler en emportant dans ma vie cette image de canard charcuté, à l'agonie. J'ai pris un sac non étanche, j'ai avalé de nouveau ma salive, j'ai mis un gros caillou dedans. Ma décision ne sera peut-être pas populaire, mais je crois qu'on appelle ça agir en son âme et conscience.

Chaque fois, à la hauteur du lac Saint-Pierre, jusqu'à être gâteux, je vais y penser, c'est certain. Je ne suis pas fier, pas éteint non plus, et surtout pas fautif. J'ai l'impression d'avoir abrégé quelque chose d'horrible, voire prouvé mon humanité. (Ça s'est joué, lui et moi, assez calmement, je veux vous le dire. Il vous salue du reste, et il m'a demandé de rester persuadé qu'il réclamait de la compassion – et ça j'en ai plein.) Mais je me demande tout de même pourquoi je suis apaisé qu'Aurélie n'ait pas assisté à ma décision. Faudra que je me parle de ça. J'aurais été mieux dans le Bas-du-Fleuve, c'est sûr, et plus à l'aise de lester ainsi une livre de crevettes.

Vous auriez fait quoi, vous? Dites-moi.

Et l'euthanasie, au fait?

Dites-moi aussi.

Aider les truckers

Oui, bon, quand même, je sais… On va se changer les idées.

Une dame de Beauport, Flora, me demande comment aider les camionneurs. Alors Flora, vous roulez à quatre-vingt-dix sur l'autoroute; vous allez évidemment vous faire doubler à bon rythme par les truckers, mais vous pouvez aider ceux qui le feront à vitesse humaine. Quand le derrière de leur container dépassera d'une dizaine de pieds le devant de votre voiture, faites deux appels de phares successifs, un long et un plus court, afin qu'ils puissent savoir qu'ils peuvent se rabattre sur la droite sans vous toucher. En somme, vous devenez leur ange. Voyez comment ils vous remercieront, lumière blanche côté passager, à la hauteur du miroir, ou alors clignotants de gauche en se rabattant sur la droite, ou encore ils battront de tous leurs feux deux ou trois fois dans la nuit, et je vous jure Flora, que si vous êtes un rien déprimée, si vous avez achevé un oiseau par exemple, le fait de voir ce mastodonte réagir à la fleur que vous lui offrez vous réparera un moment.

Et s'il ne répond pas à votre civilité, c'est probablement qu'il roule à cent vingt-cinq, alors laissez-le aller au diable en espérant qu'il ne blesse personne en chemin.

Guernica

Le sens d'une œuvre, où le trouver ? En existe-t-il un ?

Ouf. Délicate, votre question, Violaine A. Mais c'est l'été, alors partager mon ignorance n'est peut-être pas si indécent.

Dans l'un de mes trente-trois journaux d'écriture depuis août 1983, je retrouve ceci, mais sans la source (désolé).

« Le 26 avril 1937, des aviateurs allemands bombardaient la petite ville basque de Guernica, lançant par là, sans le savoir, l'une des œuvres maîtresses d'un peintre qui a marqué ce siècle, Pablo Ruiz Picasso. Picasso, qui refusait généralement de commenter ou d'expliquer ses œuvres, révéla peu après la libération de Paris ce qu'il considérait être deux importants symboles de Guernica. « Le taureau, dira Picasso, n'est pas le fascisme, mais la brutalité et l'obscurité... Le cheval représente le peuple. » Selon Picasso, le taureau serait donc l'ennemi. Certains critiques ont cependant conclu que, même chargée de brutalité et d'obscurité, la bête est aussi irresponsable que ses victimes, et que le regard qu'elle tourne vers l'horizon traduit autant le désarroi que le cheval terrorisé ou les femmes hurlantes. Si le taureau n'est pas l'ennemi, alors l'ennemi est absent de la toile, et cette omission revêt une signification glaçante : pour les victimes de la guerre moderne, l'ennemi demeure sans nom ni visage. Aussi ne recommandera-t-on jamais assez de lire directement les textes originaux en écartant le plus possible les bibliographies critiques, les commentaires, les interprétations. L'école et l'université devraient servir à faire comprendre qu'aucun livre parlant d'un livre n'en dit davantage que le livre en question. »

C'est plein de mots, je sais, mais essayez de me suivre Violaine.

Je serai franc : je crois qu'on ne peut pas mal lire. En vérité, et au contraire, on ne peut *que* mal lire, dès qu'on attribue à une œuvre un sens déterminé qui n'est pas issu de notre relation intime avec elle. Picasso a raison, pour lui, mais il aurait pu continuer de se taire car il est, en même temps, absolument dans le champ. L'artiste n'a pas à expliquer, à appliquer un discours sur l'œuvre. Et quand il le fait, nécessairement il la réduit. Non pas parce qu'il a tort, mais bien parce qu'il arrête son sens ; il l'empêche de devenir autre chose, à l'extérieur de la connaissance qu'il en a lui-même. Picasso n'est pas plus dans la mélasse, cependant, que les tarés qui ont rédigé la citation, et qui ont attribué tel symbole au taureau, et pas plus non plus, donc, que ces écrivains superbes qui voudraient arrêter à leur tour le sens des textes en oubliant le pacte du Diable, ou du bon Dieu : celui de la création artistique (le mot est d'Éluard).

Je ne sais pas si ce désir, cette tentation, nous guettent tous. Je sais qu'ils me guettent, moi, quand demain je voudrai livrer les clés de mes textes, éclairer tel mot, avancer que ceci veut dire cela, et ramener ainsi les œuvres à leur seule dimension idéologique, ou à ce que je crois qu'elles veulent ultimement dire. En le faisant, j'enfermerais le sens, je le ligoterais à mon petit avis, je voudrais faire de moi un type qui possède des réponses, qui sait quel angle offrir à la caméra – et ça, je confirme, je ne sais jamais.

Je vous fais peut-être un peu pomper, tous, ce matin, mais patience, j'achève, c'est pour Mademoiselle Violaine. On ne peut donc *que* mal lire, mais c'est très bien ainsi, car le lieu à naître entre une œuvre et soi est singulier. Un bon prof va vous indiquer l'entrée d'une grotte mais il ne l'explorera pas avec vous. J'ai passé six années de ma vie dans *Les Inventés*, l'explosion du sens, la souveraineté du lecteur dans sa construction. (Je me demande si je vais m'en relever, d'ailleurs. Cet été, je cherche de l'ouvrage, j'écris pour *Le Devoir*, je roule, je me sauve, je me gave de vos missives, je me brise des côtes ; cette odyssée en West devient l'antichambre de mon prochain roman, son laboratoire, ou son bûcher, je ne sais pas. Ça m'angoisse assez.) « Et l'avenir du texte ? » insistez-vous. Je ne sais pas non plus. Un souhait toutefois : des œuvres vues de plus en plus comme des instants de création, des sommes arbitraires (dont c'est là la grandeur), plutôt que des objets sur lesquels on a fini par mettre la main ; des résultats gelés comme une banquise. (Et si vous avez la beauté de vouloir apprendre ce que je pense réellement de l'amour et de la liberté, Violaine relisez les deux derniers paragraphes en remplaçant « œuvre » par « être humain ».)

Prier

Si je prie pour vrai ? Seigneur, je vais être immédiatement clair. Chaque fois que je pose un pied devant l'autre. Tous les jours où je tenais bon, sans offensive, avec Renée. Chaque phrase et chaque mot, dans cette petite marche vers l'humilité ou peut-être la piété, ça je ne sais pas, mais sans blague, oui. Je ne prie pas comme on me l'a enseigné, cela dit, j'y vais à l'envers. La compassion, l'indulgence, la fraternité, je les appelle. Et je suis à cela très fervent, ça suinte je vous jure. Dieu est une essentielle métaphore, mais je ne voudrais pas d'une métaphore sur mon épitaphe. Ce sera « Il a été Jean Pierre Girard », ou quelque chose d'encore plus court si je le trouve. Finir par être qui on est, avoir appris à disparaître dans une espèce de consentement tranquille, ça doit ressembler à ça, prier, d'ailleurs. (Et puis, je n'arrive plus à me révolter contre un individu pacifique qui croit quelque chose de différent, ou qui se trompe, voire qui me dénigre. Dans le fond, et ce sont peut-être les anti-inflammatoires de Zxxllyyltttœ qui me font délirer, mais dans le fin fond, l'important c'est de croire, et non pas tant ce à quoi on croit. Non ? L'objet de notre foi, ça vient après, c'est presque politique.)

DmdD

Hoppilou... on voit que vous êtes réchauffés là. Mots encore plus nombreux, et ça se parle dans les chaumières, vous m'en voyez fortaise (mais si, c'est un vrai mot, on joue). Suggestion de Pierre T. (qui emménage à Maple Grove avec l'Hélène qu'il aime, veinard). Il imagine Dieu, agonisant, revoyant en trois secondes sa vie (mais c'est l'éternité ça, non ?), et qui se demande : « Finalement, vais-je aller au ciel ou en enfer ? » (Dieu, dans le bureau de l'aide pédagogique individuelle, se demandant si Ses choix ont été judicieux. Singulier. Aurélie pense qu'Il irait au ciel parce qu'Il a essayé d'être bon. Moi, je crois à la notion d'homicide involontaire, alors je pense qu'Il jouerait ça à *Ma petite vache a mal aux pattes*. Aurélie trouve l'idée chouette.)

Message personnel

Brigitte. Vous ne donnez pas de nom de famille. Vous ne donnez pas d'adresse. Tout ce que je peux vous dire, c'est : Tenir bon. Nous flottons toujours à proximité d'une joie, elle est toujours imminente, même si on n'y voit plus rien. Tenir bon, les deux pieds dans la cendre, le temps de discerner où est le cadeau de l'incendie.

Tenez bon.

Les Anges de la route

(Audrey et Steeve, à deux ils n'ont pas mon âge. Ils sont de Québec, ils arpentent la 132 entre Nicolet et Sorel, et pousseront jusqu'à Montréal après, puis les États. Je les prends en stop à Baie-du-Febvre, sanctuaire des oies blanches. Je leur demande, sot, s'ils étudient encore.)

— On a pris une année sabbatique, dit Steeve. Il est de quelle année votre West ?

— 1986. À dix-neuf ans, une sabbatique ? Êtes-vous si fatigués que ça ?

— C'est ça le problème avec les plus vieux, reprend Audrey. Vous pensez qu'il faut être fatigué pour arrêter.

J'ai pris ma pilule, au propre et au figuré. Je suis allé les déposer exactement là où ils le voulaient, à Sorel, dans le parc du centre-ville. Je les ai remerciés. J'ai pris le traversier. Je suis monté sur le pont du traversier. J'ai respiré un grand coup de fleuve. J'ai eu mal aux côtes pour la plupart d'entre nous.

Perle d'Au

— C'est qui ta chanteuse préférée, Aurélie?

— Jennifer Lopez. (Ça change toutes les semaines, mais ce n'est pas une raison pour ne pas s'informer.)

— Ah ouais? (Et de me fredonner des paroles que la décence m'interdit de reproduire ici.) Mais plus proche disons. Québécoise?

— Isa Boulay. (Et de me fredonner « Je ne sais plus comment te dire... », entendue dix-huit mille fois par jour à la radio, ce qui est bien la seule raison à mes yeux pour qu'une très bonne chanson devienne une tare, *primo* parce que ça écœure, *secundo* parce que ça prend la place de petits qui méritent d'être connus, quelqu'un au CRTC comprendra-t-il ça un jour? La diversité culturelle, ce n'est pas entendre les dix mêmes tounes partout. Oh, pardon...)

— Isa Boulay? Ah, OK. C'est l'fun. En as-tu d'autres?

— Grand-maman.

Nécessité
de l'imaginaire
et petits feuilletés
Vachon

Tout en fixant la route, elle autorise ses pensées
à rétrograder jusqu'au
restaurant routier de tout à l'heure.
Elle se souvient du type qui la fixait.

Jean-François Leblanc
L'innommable, au creux des phalanges

4 août 2001

Hector de Saint-Denys-Garneau, 1912-1943, Philippe Aubert de Gaspé Prévost, 1928-1986, Anne Hébert, 1916-2000 ; petites plaques très simples, parfois fixées avec des vis dépareillées, sur une massive croix de bois, cimetière de Sainte-Catherine-de-la-Jacques-Cartier, jeudi 26 juillet, midi, il fait un peu frais, bonjour.

Je suis avec une amie, Andrée-A., écrivaine aussi, qui vient de signer le très beau *Ravissement*. Compagne idéale pour ce pèlerinage, et assurément pour des tas d'autres choses aussi, présence chaude et féconde, comme son écriture (cherchez dans M pour Michaud). Nous avons décidé de venir saluer la grande dame disparue l'an dernier, petite halte gazonnée dans cet été d'asphalte, pour le souvenir, l'hommage renouvelé qu'il faut prendre le temps de rendre au passé, sinon on n'a pas d'avenir. J'ai correspondu un peu avec Madame Hébert, pendant son long exil parisien, rue de Pontoise. Je me souviens lui avoir écrit que je lui devais mon vœu le plus fréquent, en terminant une missive. Elle m'avait souhaité, une fois : « Et toute la joie possible dans votre travail ». J'ai saisi là quelque chose de foudroyant. Transformé à ma voix, c'est devenu : « Et surtout de la paix, du moins dans l'instant du travail ». C'est tout ce qu'on peut espérer, cette paix, pour ceux qui se consacrent à l'écriture, au vélo, à la programmation, à la construction des maisons, enfin vous voyez, ça ratisse large.

Dany, au dépanneur en face de l'église, connaît Madame Hébert mais il ne l'a pas lue. Ça viendra jeune homme. Et pour toi, petite Lolita maîtresse de Mister Love, qui as flatté Monsieur Savon à ma place le temps qu'on achète une bouteille d'eau, ça viendra aussi ; Hébert entrera dans tes nuits, peut-être afin de partager tes vingt ans, avec l'un des dons immenses dont elle est l'auteure et qu'on appelle des livres.

Atrophie

Plusieurs questions sur l'autofiction, c'est curieux. Il faut en parler, certes, mais je ne me figurais pas que ce serait ici. Michaud, Moreau, Bélanger, Péan, Lamontagne, Ricard, tas d'autres écrivains qui essayez d'y voir un peu plus clair, et les tendances et les dangers, j'essaierai ici d'être à la hauteur des craintes et du malaise que nous partageons à ce sujet.

À la base, reconnaître et admettre une chose vraisemblablement pas facile à avaler pour tout le monde : l'importance *égale* de la réalité et de la fiction dans nos vies. L'une, la respiration. L'autre, l'expiration. Je vous le jure. Cessez l'une des deux quelques minutes à peine, crânez, pavoisez, mais ça se terminera très mal.

Or, vous le savez comme moi, nous vivons dans un monde qui mise à peu près tout sur des paramètres de « réalité », de « vérité », de matérialité. On veut du sérieux, du tangible et du concret. La fiction et l'imaginaire, c'est pour la fin de la journée, sinon la fin de semaine, en tout cas les loisirs, en tout cas après.

Croit-on.

Eh bien j'ai peur nous ayons tout faux. Autant vous en parler tout de suite : nous sommes tous de petits feuilletés Vachon. Nous existons dans notre imaginaire, au même moment, dans le même lieu, que dans notre réalité tangible. À l'instant précis où nous faisons les choses, nous sommes également ailleurs et autres, figurez-vous. (Barthes a eu la belle expression *feuilleté de signifiance*.) Vous tenez ce livre, vous posez les yeux sur cette phrase, et vous pensez à votre prochain amour. Vos yeux voguent en ces pages, vous souriez, vous parcourez en diagonale le journal répandu sur la table de la cuisine en vous disant que le type de *L'Est en West* ne sera pas le premier sur votre liste de convives, trop cinglé, vous refaites du café, mais tout baigne, ça va, c'est même tout à fait ça. Car toutes nos couches de signifiance importent ; elles sont en action en même temps. Elles signifient à mesure.

Où veux-je en venir ? J'arrive.

Vous avez un enfant, disons. Turbulent, adorable, un peu chiant à l'occasion, donc normal, et vous vous apercevez qu'il n'utilise pas son bras gauche, tout à fait fonctionnel pourtant. Que lui suggérez-vous ? « Utilise ton bras gauche, Léo, sinon il va s'atrophier. » Eh bien même chose pour l'imaginaire. Prenez ma parole, je suis assez visionnaire quand je m'y mets ; nous croisons vent debout vers une atrophie de nos capacités de transposer, de sortir du réel pour envisager le monde sous un autre angle. Nous nous privons ainsi, volontairement, d'émerger de nous. Et nous procédons à l'abattage systématique des angles différents – là où nichent neuf fois sur dix les solutions, je ne vous le fais pas dire.

Et que vient faire l'autofiction dans cet horrible constat ? D'abord, elle s'abreuve aux sources d'un « je » qui se donne ou se croit « vrai ». L'entreprise est certes rentable dans ce monde où les papparazzis font des affaires d'or et où chaque nombril possède une adresse http, mais c'est déjà une sottise, car il y a bel et bien déjà eu médiation, traduction : l'auteur, partial, qui lit sa vie. On a donc déjà les deux pieds dans le « faux », l'interprété. Ce n'est pas en soi très grave que l'autofiction patauge dans les nombrils, remarquez, on le fait tous un petit peu les fins de semaine, justement, mais le problème est que cette enflure se donne pour du « vrai », de sorte qu'on aboutit rapidement au danger : la confusion entre les vertus de la réalité et celles de la fiction, conjuguée au sort peu enviable que notre époque réserve à l'imaginaire – qui est, je le précise en d'autres mots, la moitié légère de notre vie, la piscine pendant la canicule, les moulins de Don Quichotte, l'issue, la sortie, appelez ça comme vous pouvez. (Vous commencez à voir le lien que je fais? S'il n'est pas génial, restez indulgents, on le polira ensemble, d'accord?)

Et la confusion est telle, voyez-moi ça, qu'on pourra un jour faire passer le temps des fêtes en prison à un adolescent qui a écrit une nouvelle dérangeante... (Oui, ça va jusque-là, si vous ne l'aviez pas vu ne vous en vantez pas.) Ou alors on se retrouvera avec des manuscrits qui parlent du vieillissement parce que la société vieillit, d'ano-rexie parce que c'est une plaie actuelle, de tenta-tives de suicide parce qu'on a le plus haut taux, etc. Chacun de ces sujets est capital, ne confon-dons pas, mais aucun ne l'est davantage que la littérature pour une raison extrêmement simple : on ne sauve pas un poisson, on sauve un lac. Trouvez que c'est une position radicale si vous voulez, mais devant l'équation vous n'hésiteriez pas beaucoup vous non plus.

La littérature est le dernier lieu d'une explora-tion qui n'a rien à voir avec les « problèmes » issus d'un quotidien. C'est même le contraire : elle con-fère à ces « problèmes » une dimension différente, transposée, dans laquelle on se reconnaîtra moins comme dans un miroir que comme dans un trait de caractère apparenté aux nôtres, mais un trait retrouvé chez un parfait inconnu. Wow. Bienvenue ouverture sur le monde. (On peut être tenté de vouloir retrouver des pairs par le biais de la litté-rature, certes, mais c'est dangereux de vouloir faire d'elle le lieu des parentés, des exemples à suivre, des « C'est arrivé pour vrai et ce touchant témoi-gnage va m'aider dans ma propre vie », et surtout le lieu des certitudes, parce qu'elle est précisément celui des disparités, des possibles, des *egos* imaginaires, selon le mot de Kundera, et surtout le lieu du doute, bref de ces trucs qu'on peut apprivoiser sans trop de crainte et de danger, grâce à la fiction.)

La littérature qui singe le vrai est donc une menteuse qui se croit, vous savez comme moi que ce sont les pires, et je suis presque désolé d'affirmer ici que le « réel » ne contient d'ailleurs à peu près pas de « vérité(s) » – un seul de vos rêves n'est-il pas aussi « réel », franchement, que le centre-ville de Montréal au complet ? (D'ailleurs, à tout prendre, se trouve-t-il sous les cieux nouvelles plus plates que d'apprendre avec combien de fêlés couche Catherine Millet chaque nuit, comment l'inceste a putréfié la vie de Christine Angot, l'adresse de l'ex de Maxime ou si Madame X a réellement administré autant de fellations au diplomate russe sur la butte Montmartre ? Dans une perspective littéraire, on s'entend, évidemment plus élevée et dense que nos respectives insignifiances, tout ça est aussi bête qu'un toit de tôle – et puis oui, pour être vraiment honnête, désolé, mais qu'est-ce qu'on s'en fout.)

En somme, l'autofiction représente un danger pour l'imaginaire parce qu'elle risque d'aligner les attentes lectorales sur les articles de fond du *Télé 7 jours*.

Atrophie. Étouffement dans le réel alors que nous avons besoin de respirer et d'expirer. Grain de folie. Diagonale. Sortir un instant de soi.

Je repense à Anne Hébert.

Et je signe.

Vrac un deux

1. Une dame me regarde durement parce que je jette un œil au *Journal de Montréal* en déjeunant avec Aurélie – qui de toute façon honore son napperon de fabuleux barbots. Seigneur, on va tous crever sous la faux de la rectitude, de la pseudo bonne manière de faire les choses. Ce soir, on couchera dans le bois, Aurélie et moi, je ne veux plus voir cette dame et ses pareilles, et demain matin on déjeunera dans l'odeur d'humus, ce sera du pain doré à la Sylvie, marraine de la petite (lait, œufs, vanille, un rien de muscade, sourire et bonté larges comme le monde).

2. Je parle souvent de mes parents, écrivez-vous. Vous n'en parlez pas, vous? Mais de qui parlez-vous alors? De bébé Angelil baptisé? Et c'est moi qui aurais un problème?

Offrir une structure

Remarquez, je suis très ouvert à l'idée d'ignorer et de me tromper. (Savez, j'ai lu plein de théorie dans ma vie, infiniment plus qu'il n'est recommandé par le *Guide alimentaire canadien*, mais je n'ai pas changé depuis la polyvalente Saint-Léonard d'Aston. Enfin, j'ai souffert un peu bien sûr, j'ai mangé trois ou quatre bons coups de bâton sur la gueule – métaphore ou métonymie, d'après vous? –, mais dans l'ensemble je suis à peu près le même. «Son ambition est d'avoir des ambitions», est-il écrit à mon sujet dans le *Journal des finissants*, 1978.) Mais bref, ignorer et me tromper, je connais très bien, il s'agit même de mes activités les plus lucratives pour les autres. (De toute façon, avec des enfants, c'est notre seule certitude : on va se tromper. Le vrai drame serait de ne rien faire, de les laisser choisir continuellement, de ne pas leur imposer de structures, de formes solides qu'éventuellement ils combattront, mais grâce auxquelles ils s'élèveront. J'essaie de montrer ça à Aurélie. On s'assoit par terre, dos à dos, on pousse. Ainsi, nos forces s'opposent et tous les deux, on se met debout. Mais Aurélie, toute seule, qui pousse, eh bien voilà, elle reste au sol. Par amour, je crois qu'on doit imposer formes et contraintes souples, sans compter qu'en permettant aux enfants de vivre de petites frustrations, nous leur montrons sans doute à conjuguer avec les plus imposantes. Et peut-être ainsi éviteront-ils certains dérapages, voire quelque envie suicidaire, quand ils frapperont de plein fouet l'échec, que leur premier amant les laissera tomber pour une *cheerleader* ou qu'ils seront refusés à l'École nationale de pêche à la ligne. Qui sait ? Le plus haut taux de suicide au monde, entre les seize et vingt-quatre ans, ça vous dit quelque chose ? C'est nous. Et la permissivité tous azimuts qu'on leur accorde ici, l'interrogation chronique quand on s'adresse à eux, ça vous dit quelque chose aussi ? Je ne suis pas sociologue, je n'ai pas de réponses, mais j'ai peut-être deux ou trois bonnes questions.)

Quoi qu'il en soit, la peur d'être ferme (pas dur, pas intransigeant, pas violent, juste ferme) marque notre époque et notre société : nous craignons d'être jugés, ostracisés, sur les allures que ça donne.

Nous ne sommes pas une majorité assiégée pour rien ; le regard de l'autre est devenu notre psychose, notre plus insidieuse prison. Je souhaite qu'on n'en fasse pas un endroit confortable.

Vrac trois quatre

3. Pourquoi ne jamais se garer au-dessus d'une bouche d'égout ? Échappez vos clés une seule fois et on en reparlera. (D'ailleurs, si les gens de génie civil avaient pensé un peu plus à leur affaire, toutes les bornes-fontaines seraient devant des bouches d'égout.)

4. Vos commentaires sont rafraîchissants, bons à lire et relire. Il faut comprendre : je suis écrivain québécois, moi, je ne suis donc pas particulièrement habitué à être lu ou à être à l'année en librairie. Voulez-vous bien me dire, au fait, pourquoi les écrivains devant lesquels vous faites la file aux Salons de les livres sont pour la plupart des politiciens, des humoristes, des chanteuses, des journalistes, des chefs cuisiniers ou des anthropologues ? Serait-ce que la fiction, finalement, vous l'avez où je pense ? (Je ne vous aimerais pas moins ; je veux juste savoir.) Ou n'est-ce pas le règne du « vécu » qui viendrait assaisonner vos achats, tiens ? L'anecdote « vraie », le nombre de victimes, la manière dont le psychopathe s'y est pris, le nombre d'apparitions à TVA ? Seriez pas un tout petit peu voyeurs, vous aussi ? (Si moi je ? Ben tiens...)

Derniers mots de Dieu

« Coupez ! » J'avoue, là, vous vous surpassez. (Suggestion de Sonia H., Saint-Roch-de-l'Achigan.) Dieu, sa Bible sous le bras, qui se cherche un producteur parce qu'Il croit infiniment à Son projet. Il en finalement trouve un qui veut bien tenter le coup avec une histoire aussi démente, mais en plein tournage la production manque de budget, l'ONF recule, Téléfilm au contraire avance, mais simplement pour claironner que ses doutes sont confirmés ; les subventions basculent alors en bloc vers une comédie de situation qui fera un tabac mais juste au Québec. « On vous rappellera, dit-on à Dieu, et on travaille fort en coulisses, vous inquiétez pas, on aime beaucoup le projet. Vous auriez pas un autre truc en chantier ? »

Couchez n'importe où cette semaine. Par terre, dans un hamac, au chalet du beau-frère, n'importe. Ou changez de chambre dans l'appart, juste une fois. Et rappelez-vous, ou alors constatez avec stupéfaction, que votre maison est à jamais dans votre paume. (Pouvez l'y dessiner, vous savez – essayez, on est là si peu de temps.)

Et de la paix, surtout, du moins dans l'instant du dessin dans la paume de votre fille.

Les Anges de la route

Sur le très beau quai de Portneuf, long bras de terre et de pierres, elle gare sa voiture, en sort, sourit en voyant Savon, ne sait pas que je la vois. Elle ouvre la portière arrière pour que l'air du large berce le bébé qui sommeille. Elle revient, les cheveux dans le vent, s'adosse, ferme les yeux sous ses Ray-Ban, respire un peu. Belle maman.

Derrière elle, un monsieur a fait tout le quai à pied. Vêtu assez pauvrement, le genre de type à transporter un trésor dans un sac de plastique IGA, il boite légèrement. Il ramasse une canette de Coke laissée par des jeunes, se rend à la poubelle et la jette. Je suis ému jusqu'aux larmes et ce n'est pas votre affaire. Si je m'avançais vers lui, si je lui touchais l'épaule pour le remercier d'exister, je suis certain que ma main passerait au travers.

Qu'est-ce qu'on ressent dans ces cas-là ? Difficile à dire, on ne s'y attendait pas vraiment. C'est comme être heurté par une ambulance. La certitude qu'on n'arrivera jamais à voir tout le beau, même en faisant de notre mieux, mais ça va, ce

n'est rien, ça passe, le beau continuera d'être gra-
tuit ; il sera là, derrière nous, tout à l'heure, quand
on sera de nouveau sur les routes.

Il est donc aussi devant. Forcément.

Perle d'Au

— Aurélie, arrête de jouer au *game-boy*.

— Pourquoi?

— C'est pas une vie.

— Pourquoi?

— Aurélie, on traverse le Richelieu sur une plateforme artisanale, on s'en va à Saint-Denis, un lieu que je veux te raconter, il fait soleil, il est midi, c'est magnifique autour et tu joues à Tétris.

— Il est midi? J'ai faim.

— T'as faim parce qu'il est midi?

— Oui. OK, j'arrête Tétris, mais toi, quand je vais te le dire ce soir, t'arrêtes l'ordi.

— Pourquoi?

— C'est pas une vie, papa.

Cygne, comme dans chant du

Spoutnick : — On peut pas avoir confiance en personne,
même nos amis peuvent
nous fourrer, c'est ce que ma mère m'a toujours dit.
Kathakalie : — T'as pas honte de penser ça
de nous autres ?
Spoutnick : — Non.

Mélanie Verville
On ne peut pas avoir le beurre et l'argent du beurre
(théâtre).

11 août 2001

Vivre est notre seule chance. D'après moi, il y a trois sens à cette phrase ; prenez le deuxième à partir de la gauche. Elle est épinglée sur ma planisphère depuis quatre ans, et aujourd'hui je vous l'offre parce que ni les phrases ni les idées ne sont des propriétés exclusives, comme l'invention des brevets nous a poussés à le croire. Vivre est notre seule chance, et apprendre est sans doute la seule façon de vivre. (Prendre et être pris, bien sûr ; donner et recevoir, évidemment ; aimer et être aimé, à qui le dites-vous, mais tout ça, toujours, précédé par : apprendre à.) Les mots aussi aiment jouer à plusieurs, et la plupart des verbes sourient quand on les conjugue. (Retirez-vous un moment dans un bois ou un cœur, prenez quelques mots à part, regardez-les dans les yeux ; vous verrez, ils sourient.)

Chant du

Nul besoin, damoiselles et damoiseaux, de vous faire un dessin ; quand on commence le huitième article d'une série de huit, on approche de la fin. Alors il a réagi en imbécile, le chroniqueur, et il a pas chômé (il a pensé que dans l'agitation, ou dans le bruit et la fureur peut-être, tout ce mouvement, sait-on jamais, il oublierait l'imminence de la fin). Alors imaginez-vous une version routière de la finale des Benson and Hedges, SAQ devenus, en haut, en bas, à gauche, patacloak, patacloak, mettez ça sur le compte de l'émotion, on a roulé. D'abord le parc du Mont-Tremblant, puis Rawdon, puis la route des Pionniers vers Notre-Dame-du-Portage, près de Rivière-du-Loup, puis Québec pour dîner avec deux si belles âmes, Noël et Michèle, et enfin Sainte-Perpétue, fin du cycle, boucle bouclée, chant du cygne, on s'arrête où on peut, si près de là où les choses, hier ou le siècle dernier, ont commencé. (C'est ainsi qu'on devrait envisager guerres et querelles, d'ailleurs, en sachant qu'elles se termineront infiniment près de là où elles ont commencé, alors tous ces efforts pour avoir raison, je pisse plus loin que toi, mon dieu est plus fort que le tien, franchement.) Un yoyo, donc, ou une superballe, ou encore comme une poule qui cherche le meilleur angle pour s'accroupir, et puis soudain, savoir, sous ma peau, que c'est dans notre fleuve, quand l'eau devient saline, que je voulais essorer ces derniers mots. (Il y a trente-neuf Notre-Dame de quelque chose au Québec, au fait, ce qui est une information d'une prodigieuse insignifiance, mais vous devez être habitués.) Celui (ou celle ?) du Portage, ce sont les plus beaux couchers de soleil au monde, grâce aux îles dans le fleuve, aux courbes de Saint-Siméon dans le ciel embrasé, peut-être aussi grâce au regard des résidants à l'année, réunis sur le quai quand ils sentent que c'est pour ce soir-là. Nous sommes reçus, Aurélie, Savon et moi, chez Dominique et ses jeunes fils, Simon et Thomas, *tennismen* et *recordmen* des pâtes terminées en vitesse pour ne pas rater les raquettes au parc Jarry. Le terrain est immense, le courage de cette dame aussi, alors qu'Aurélie et Thomas, dans le fleuve, à la brunante, c'est une image pour toujours. Je ne peux ici que les remercier de nouveau, tous les trois, pour l'accueil, et doucement leur souhaiter d'apprendre à. Pour les uns, c'est de ramener leur assiette, pour la belle dame, ce n'est pas vos oignons.

Las Vegas, 1975

Dans *Clair de femme*, de Romain Gary, Michel Folain, pilote de ligne, erre dans Paris toute une nuit afin de respecter sa promesse : ne pas intervenir dans la décision de la femme qu'il aime, Yannick, de mettre fin à ses jours à cause d'un cancer. (Je vous raconte la trame, je sais, mais Seigneur qu'on s'en fout de la trame.) Folain, qui devait partir pour Caracas afin d'avoir quelque chose de prenant à faire cette nuit-là, s'est ravisé, est revenu, rongé par l'amour et le serment. Descendant d'un taxi, il heurte une femme, Lydia, aussi charcutée que lui par la vie mais on l'appren-

dra plus tard, qui porte des victuailles – *de facto*
répandues sur le trottoir. (C'est Montand et
Schneider, ces deux-là, dans l'adaptation de Costa-
Gavras : pas méchant.) Folain veut se faire
pardonner, l'invite au café, mais il n'a pas un sou ;
c'est elle qui doit régler. Pendant qu'ils se jaugent,
Senor Galba, champion de la dérision et de la
fatalité, homme de scène qui fait danser des chim-
panzés avec des caniches roses au grand plaisir des
investisseurs japonais qui voient là un spectacle
fabuleux, s'approche de leur table, l'air interro-
gateur. Avant que Galba ait le temps de saisir,
Folain lance : « Las Vegas, 1975 ». Galba est aux
anges, il remercie Folain, lui confirme que c'est
bien là qu'ils se sont rencontrés, il est heureux de
ce hasard, les routes qui se croisent de nouveau. Il
leur souhaite une merveilleuse soirée et les invite à
venir le rencontrer dans sa loge, le soir même,
après le spectacle. Après son départ, Lydia
s'étonne : « Vous étiez à Las Vegas en 1975 ? »
Folain répond : « Pas du tout, mais cet homme
avait besoin d'un ami ».

Je n'ai pas grand-chose à dire de plus sur
Romain Gary, ailier droit de mon équipe d'étoiles
des auteurs français du XXe. Ou peut-être, tiens,
parce que c'est vous, que la morale et la rectitude
devraient être les tapis de l'humanité, alors qu'elles
sont devenues les maîtresses du monde. Vous vous
levez avec elles, vous les retrouvez devant la glace
de la salle de bains, vous les portez au boulot, elles
tempèrent vos gestes et vous commandent de toujours jouer sûr. Ce faisant, elles tuent la spontanéité, ce que nous avons vous et moi de plus beau.
Tenir un individu au sol, c'est facile ; convainquez-

le qu'à chaque mot ou chaque geste un peu hors de la norme, il se fera planter.

Dans *Clair de femme*, le plus beau roman d'amour de ma vie, Folain passe par l'abattoir, mais il résiste au malheur et aux Barbus (vous vous rappelez ?). Il sait que l'amour du genre humain et la compassion peuvent parfois nous pousser à mentir avec une espèce de foi, parce que sur le bord d'une falaise, les êtres ont davantage besoin d'un écho que d'une morale. Et un seul mensonge pieux rachètera chacun des engagements qu'on n'aura pas tenus, vous verrez bien. Gary, c'est la fraternité, quoi qu'il en soit. (Commencez par *Adieu Gary Cooper*, vous serez tout de suite fixés – je veux dire : au mur. Les Émile Ajar ? C'est bon, mais j'aime moins. Un seul est excellent d'ailleurs : le premier qu'on lit, n'importe lequel. Après, ça sent le talent.)

Intermède pédagogique

À mes débuts dans l'armée (des ombres), j'ai parcouru le Québec (décidément…) pour *Le Bulletin des Agriculteurs* en faisant la recension des originalités agricoles (chèvres angora, sangliers, bisons, chinchillas, etc., vraiment n'importe quoi). J'ai aussi cassé la croûte avec des cerfs de Virginie, qu'on élève pour la viande mais aussi pour les bois, très prisés par les Chinois, si je me souviens bien, une question d'érection. (À un milliard trois cents millions, on n'entretenait pourtant aucun doute, mais bon.) Les producteurs vendent néanmoins ce produit à la caisse, ça part en bateau, nos bois de cerfs voguent vers les plus anciennes civilisations pendant que nos jeunes mangent du PFK. Nous vivons vraiment une époque intéressante, je le répète. Mais tout ça pour dire que je fréquente l'agricole et le rural depuis un bon moment sous tous leurs angles, et de là, justement, hic : à l'époque, je voyais qu'on avait déjà le réflexe insecticide et pesticide assez développé, on voulait déjà donc des belles pelouses, entre autres – dans les fermes de quatre millions comme dans les banlieues, remarquez. Or or or, j'apprenais récemment que les cancers chez les animaux domestiques sont en hausse d'un pourcentage qu'il fait trop noir pour vous révéler, vous auriez peur. Faites A + B, mettez ça dans votre pipe, laissez encore vos enfants rouler là-dedans, ce n'est pas encore un vrai drame bien évident et bien saignant, mais commencez à y penser. Et à intervenir vous-mêmes.

Quelques riens et courriers

• J'ai eu droit, aujourd'hui, à une journée particulièrement fertile en « méga-full-hot, papa », et en « style-genre-comme ». Avez-vous un antidote, vous ? On ne peut pas les empêcher de boire avec avidité ce qui émerge du monde, c'est peut-être à ce moment-là qu'on saisit avec le plus d'évidence que c'est nous qui sommes à eux, du reste, et pas l'inverse, mais avez-vous un antidote, Seigneur ? • Je fais parfois l'amour, mais ce n'est pas nécessairement *pour* jouir, vous saurez, mademoiselle. D'ailleurs, j'écris parfois des pages qui tiennent debout toutes seules, mais pas nécessairement *pour* les publier. Tout n'est pas conditionné par sa fin ou son aboutissement ; je veux occuper l'espace – du désir, de l'amour, du repas, n'importe. Je lance ici un appel à la résistance devant une société obnubilée par les résultats. Mademoiselle. • J'ai un ami qui a eu une contravention pour avoir décidé de dormir dans sa voiture, rapport que bon, oui, un peu trop quoi, ça arrive. Des imbéciles ont donc puni dans l'allégresse le seul geste sensé qu'il y avait à faire, pour lui, à ce moment-là. Misère. Moi qui rêve de voir des stationnements de centres commerciaux pleins à trois heures du matin : des tas de gens inoffensifs qui roupillent, et une police qui exerce son colossal pouvoir à cet endroit au lieu de s'embusquer dans une anfractuosité de viaduc. • *Voilà mon cœur, prudence en sortant* (Louise Attaque, *La plume.*) Elle est trop belle cette phrase, pas pu résister. • Aurélie et moi comptons les autos jaune serin, une partie commence le matin. Un point pour une auto jaune, deux pour une Beetle jaune, trois pour une décapotable jaune, cinq pour une ancienne coccinelle jaune, et huit pour un West jaune mais nous n'en avons jamais vu. Récemment, on a ajouté les beurriers, un point chacun, toutes couleurs confondues. Un beurrier, c'est un PT Cruiser. (Vous fâchez pas, c'est une blague.) • Ce n'est pas réellement pour vous vexer que je le précise, mais nous sommes les seuls animaux qui passent une bonne partie de leur vie à vouloir être attrapés. Nous sommes aussi les seuls qui désirons la lumière, et à son approche lui reprochons la chaleur qu'elle dégage. Fuckés et beaux, c'est nous. Faudrait louer une tente et assumer ça en groupe, un de ces quatre.

Le quai de la gare

Quand on part on part, je sais, on abrège, mais mes souhaits vous n'y couperez pas.

Essentiellement, une petite paix au quotidien, comme dans Claudel, comme dans Carver ou André Major, ou comme dans *Tom's dinner* de Suzanne Vega, ou dans *Famous blue raincoat* de Cohen. Ou tout Lucinda Williams (pour laquelle je remercie très bas mes nouveaux potes de Québec, Sabica et Christian). Ou comme les disques de *La Nuit obscure*, dernière découverte, merci encore Dominique. Pas toujours la joie, mais toujours la fraternité et la ferveur, fût-ce dans une certaine douleur.

Je pourrais dire autrement.

À la verticale d'un lac ou d'une ruelle, un peu de joie peut émerger d'un livre ou d'une écriture auxquels soudainement vos mains prêtent vie. Faites. (La véritable qualité d'une écriture est de soulever la vôtre, notez ça sur un bristol et fichez-le au-dessus de la cafetière.) Un peu de joie, de paix, de liberté, et tout cela s'élève, se répand, vient s'appuyer contre la roue du Bien et la fait tourner. C'est ma seule définition de la littérature. Trouvez doucement la vôtre.

Je pourrais dire autrement.

Je ne peux honorer le dixième des invitations reçues et vous m'en voyez fort marri ; je suis par ailleurs bien trop prude pour vous dire combien chacune d'elles me touche. De même, vous avez inondé *Le Devoir* de commentaires et de DmdD, le plus souvent bien affûtés. Je veux vous dire que le temps que vous avez pris, c'est trop beau, c'est trop *ça*, en fait. Vous êtes épatants. J'ai eu la chance immense de vivre avec Aurélie, Savon et vous, l'été de mes quarante ans, alors c'est moi qui dis merci. Je sais qu'on rôde dans un monde de sandales cirées, qu'on a appris à ne pas accorder trop de valeur aux choses de peur de se faire baiser, appris à ne pas croire tout de suite les belles affaires parce que mon Dieu qu'on a donc souffert, mais je vous le dis quand même : ça compte encore plus, désormais, *vous*, pour moi.

Projets immédiats

J'aspire d'abord à une semaine de vacances dans mon bain en croquant des céleris et en revoyant l'intégrale des films de Jean-Claude Van Damme et de Steven Seagall, en tout cas rien de plus compliqué, on va bien voir. Je jonglerai ensuite avec les « Derniers mots de Dieu » en espérant que le Grand Patron n'enverra pas Seagall ou l'autre drogué me signifier ce qu'Il pense réellement de mes petites initiatives estivales. J'appelle les gagnants, promis (oui, *les* ; trop de qualité dans vos suggestions, j'ai décidé de faire un podium, ça me coûtera donc trois portos.) Je fermerai le concours avec une suggestion que je classerai probablement hors-série, mais elle est trop drôle : « Me fous du fin mot de l'histoire, dirait Dieu, c'est le porto avec toi que je veux. »

(Hé-hé. Ce serait pas un petit peu grivois, ça, mademoiselle Cousineau ?) Merci à tous.

Ultime question

Si mes livres ressemblent à cette série ? Non. Mes livres sont beaucoup plus drôles... OK, sérieusement : il y a l'homme et il y a l'auteur. C'est deux. Ne cherchez pas ma vie dans mes livres parce que vous êtes assez intelligents et sensibles pour l'y imaginer, et que vous aurez ensuite les yeux bouchés sur ces lieux que moi-même je ne connais pas, mais où les textes, eux, peuvent vous entraîner. D'ailleurs, moi qui ai un peu le moton à l'idée de vous quitter, je ramasserai cette ultime question et cette série dans un spectaculaire salto arrière, afin de clore dans la joie, et je céderai le crachoir à un vieux philosophe grec oublié que je vous invite à revisiter, Michel Sardou (*Salut*) :

« Ça fait déjà longtemps qu'on se connaît/ Même si c'est vrai, je ne vous parle jamais/Je ne sais pas faire le premier pas/Mais vous savez déjà tout ça/Je ne suis pas l'homme de mes chansons, voilà.

Et puis je ne suis pas non plus ce que j'écris/ Que cela vous déçoive ou non, tant pis/Le seul moment où tout est vrai/Le seul moment où tout est dit/C'est quand le spectacle est fini. »

Allez. Prenez soin de vous ; peu de gens le feront à votre place.
Que Dieu vous bénisse.

Les Anges de la route

Au Festival du cochon de Sainte-Perpétue (c'est comme ça, riez un bon coup, mais ensuite retrouvez-nous-y, Aurélie, Robert et moi, d'une année à l'autre, début août – demandez au micro, ils vont nous trouver). Il est une heure du matin, je suis assis au sommet d'une estrade qu'on repliera bientôt, Aurélie dort dans mes bras au milieu des toutous enfin gagnés par oncle Max, je devrai porter une tribu de peluches en retournant au West. En face de moi, le cimetière où mes parents reposent, et un peu partout, sous la lune insolente, des bénévoles s'affairent, on dirait de vaillantes abeilles dans la nuit. Je pense à vous. Je crois que c'est vous, les Anges. Je veux dire : je crois que vous êtes tous des Anges. Je veux dire : je crois que ça dépend de nous.

Perle D'Au

Terminer *L'Est en West* sur une perle d'Au rend simplement justice à l'amour dans lequel cette série a baigné, et à cette petite fille, qui l'inspire. (Et puis voyez, je peux compter sur elle pour me remettre à ma place.)

— Aurélie, veux-tu que je te lise un extrait du dernier article ?

— Non, ça va.

Le besoin
de croire

En se désirant faible, et plutôt qu'orgueilleux,
En se désirant lâche, plutôt que monstrueux
(...)
Pour que monte de nous, et plus fort qu'un désir,
Le désir incroyable, de se vouloir construire

Jacques Brel
J'en appelle

Août 2002

COUCOU !

Bon. Ça va. Pas notre genre, même après une si longue séparation, je suis d'accord.

Sérieusement dans ce cas.

Août 2002. Un an mois pour mois après la parution du dernier article, nous en signerons donc un second dernier (il y a bien déjà un second début, chez l'Oréal je pense, alors), c'est-à-dire un neuvième, que je voudrai très bref parce qu'on ne me la fait pas : han, j'ai déjà vu neiger, et je sais bien que sous les aimants ailés, papillons, colibris et libellules de votre réfrigérateur, ce n'étaient pas les articles que vous conserviez avec un indicible bonheur de relecture, c'étaient les Perles d'Au et les Anges, avouez donc, Seigneur. (Aveu pour aveu, l'exergue qui chapeaute ce dernier article dernier n'est pas d'un de mes anciens étudiants.

Mais que s'est-il entre-temps passé sous les ponts où coulent des fleuves tranquilles dont il faut cependant de l'eau qui dort se méfier comme on sait, eh bien à peu près rien, c'en est troublant. Je ne suis pas allé à Chibougamau, ni même à Beijing, déjà qu'il faisait à peu près quarante-deux Celcius dans la sécheuse cet été et que je ne connais aucun poète, même pas Jean-Paul Daoust, qui aurait pu trouver quelque chose de rassérénant pour le genre humain là-dedans. J'ai fait de mon mieux, néanmoins, et j'ai acquis un petit pli de plus (récitez à toute vitesse, trois fois) sur le ventre, notamment en restant cloué au lac, complètement ébahi sous la Vierge suspendue *au-dessus* du Lac-à-la-Vierge – chalet loué en octobre et novembre derniers, et décor de mon prochain roman. (Saisissant, je vous le jure : en chaloupe, passant sous la Madone, Savon grondait et j'avoue que ce n'était pas un réflexe totalement dénué de sens.) J'ai ce faisant lu comme un dément, remarquez, pour faire ma part dans le prix du Gouverneur, et malgré ma peur sincère, j'ai aussi, il est vrai, amené Aurélie à Paris en mars (sinon les terroristes auraient salopé jusqu'à notre âme). Dans le même avion devinez qui ? Isa Boulay elle-même, justement ; Aurélie ne portait plus au sol, c'est le cas de le dire, mais elle a eu son autographe, la bougre, pendant que je faisais diversion auprès des gardes du corps.

Autrement, et sincèrement, bien peu de choses : Monsieur Savon n'a plus de muselière et rapporte le journal, Robert le peintre a eu le cancer de ce que les hommes ont en double, une saloperie vaincue grâce à un médecin arabe qui est devenu son copain, et moi j'essaie de me faire à l'environnement Mac OS X sans y parvenir –

Aurélie a plus de succès ; elle m'a d'ailleurs déjà interdit l'accès à différents sites Internet, je ne sais pas comment, c'est un mystère. Nous avons roulé un peu en West, mais des broutilles en regard de l'an dernier. Nous avons aussi acheté un canoë-kayak, ce qui représente une autre information singulièrement insignifiante s'il en est, mais puisqu'on en est là il est bleu. Sur la route, Aurélie m'a régulièrement fait répéter mes multiplications, et en revenant de Paris j'ai tenté de lui expliquer pourquoi on n'a pas besoin de serrure sur une porte d'avion, mais j'ai renoncé parce que je la trouve trop jeune pour apprendre ce que c'est que la vraie pression. Je me suis rabattu vers les nuages, les lutins ou les antennes des étoiles, je ne sais plus trop, je devais être pathétique de toute façon mais le mousseux en quart de litre était honnête. Début mai – je lui ai promis de l'écrire ici –, elle m'a battu pour la première fois aux dames, ce qui est à mes yeux un non-sens particulièrement affligeant. Je l'ai néanmoins félicitée avant d'aller prendre une longue marche qui est un anglicisme je sais, si bien qu'on peut encore espérer que la petite soit toujours à peu près vierge en ce qui touche l'orgueil du mâle – lequel orgueil, comme on le sait TOUS, est notre seul vrai défaut. Au retour, je lui ai révélé que ce qu'il y a de magnifique avec le futur, c'est qu'il survient à tout moment, comme ça, pour rien : « Tiens, tu vois, le voilà… Et puis encore… Et encore… » Elle m'a planté sommairement là pour reprendre sa lecture d'un épisode romancé de *Buffy contre les vampires*, Sarah Michelle Gellar étant vraisemblablement plus croustillante que mes avancées philosophiques pourtant parées d'humour et de tendresse. (Car pourvu qu'elle lise, hein?)

J'ai toutefois fort habilement profité de ces accalmies pour modifier un adverbe ici et là dans les huit articles de base, ceux qu'on a plagiés à gauche et à droite sans que j'intervienne. (Je ne crois pas à la guerre, au vol, aux mesquineries, je l'ai dit; certains et surtout certaines sont de toute façon capables de tout; si tu relèves le gant avec ces petites bêtes, tu les accompagnes dans leur trajectoire elliptique où flirter avec le mal passe pour une activité branchée. Alors elles peuvent bien s'acheter un West si ça leur chante, elles peuvent chiper des titres ou hebdomadairement disperser leur fiel en reniant tous leurs engagements moraux, et elles peuvent même en arriver à faire de la peine à une petite fille – dépassant ainsi pour de bon les bornes –, je préfère tout de même abandonner leurs dépouilles aux éperlans et maquereaux, ces charognards des faibles fonds marins. Je vous souhaite d'ailleurs la même paix quand on vous volera un crayon déjà aiguisé. Choisir le silence plutôt que les armes n'est évidemment pas une fuite, c'est plutôt ainsi qu'on installe ultimement son humanité, en refusant de partager l'arène de boue dans laquelle on nous conviait.)

J'ai bien pensé vous asséner un neuvième article en bonne et due forme, donc, dix feuillets bien serrés, mais j'ai finalement opté pour un articulet guilleret parce que je résiste encore à l'idée de visiter des tombes la nuit ou de n'être qu'un clown qui récrirait le même livre toute sa vie – ce que je fais peut-être, remarquez. Et puis j'avais surtout l'impression d'ainsi perdre l'esprit de la fête de l'an dernier, et la certitude de trahir quelque chose ou quelqu'un – m'est avis que je traînerai jusqu'à ma bière ces relents de culpabilité lascive, à croire qu'il s'agit là d'une copine de maternelle.

Cela dit, j'ai décidé de terminer *L'Est en West* avec des inédits. Des réflexions éparses (du vrac comme ça se peut peu), et puis bien sûr des Perles d'Au (deux parce que c'est vous), et d'ultimes Anges de la route (deux aussi) – oui, deux de chaque parce que j'ai déjà vu neiger, et je sais bien que sous les aimants ailés, papillons, colibris et libellules de votre réfrigérateur, ce n'étaient pas les articles que vous conserviez avec un indicible bonheur de relecture, c'étaient les Perles d'Au et les Anges, avouez donc, qu'on en finisse, sinon je répéterai encore cette phrase et je la traînerai comme un mantra jusqu'en 2024 – ce n'est plus si loin, savez – pour la glisser dans le tome 16 : *Le Groenland en West.*

À plus tard donc, pas de virgule, voilà qui est parlé.

Le bon douanier

Pour les États, vous passez tous à Lacolle ou Magog, c'est curieux. Essayez donc ailleurs, rouler fait partie du périple – j'aurais pu écrire « des vacances », « de l'aventure », « de la joie », enfin vous comprenez –, il y a dix-huit mille postes frontière jamais enjambés, uniquement entre les deux nommés plus haut. Et là, quelque part dans cette interminable Amérique, dans le haut d'une côte, au milieu d'un virage semblable au précédent, il y aura un type dans un potager entouré de poules, qui s'avancera vers vous en souriant. Juré. C'est le bon douanier. (Indice : entre Frelighsburg et East Richford.) Il vous croit sur parole quand vous affirmez que le chien est vacciné, et il accepte en cadeau deux pommes de Rougemont au lieu de vous confisquer l'ensemble de vos fruits. Sa tristesse à l'endroit des événements du onze du neuf n'a pas besoin d'être commentée, et si vous y tenez vraiment, vous pouvez lui parler anglais.

Nécessaires silences

On roule en silence depuis trente minutes, petits moments de grâce, ces indispensables pertes de temps sans rien faire rien dire, que les parents qui ne voient pas assez leurs enfants ne peuvent pas se permettre – qui le dira plus habilement que moi à ces hommes et femmes qui croient encore que voir son enfant quatre jours par mois est suffisant ?

Une petite demi-heure, donc, et Aurélie qui soudainement lance : « Le chien a pété ». Spontanément, de concert, mains sur les manivelles, on baisse les vitres. (Pas vraiment sa place ici, cette remarque, croient les puristes ? Eh bien au contraire, *basta*, parce que ça va jusque-là un chien. Il y a cinq ou six cents ans, du reste, « Ça va ? » voulait précisément dire : « Vous déféquez bien ? ») Quoi qu'il en soit, je ne relate pas cet épisode pour faire *reality*, mais il est incontestable

que par temps très humide, quand certains événements odorants surviennent, eh bien même
l'amour naissant, si lumineux et grandiose y compris dans la nuit baignée d'un noir de jais, même
cet amour-là dis-je, serait éprouvé et menacerait de
dévoiler un petit côté âpre et rugueux. Devant
cette hypothèse, on est alors presque heureux du
célibat, parce qu'il faudrait bien, se dit-on, que la
fiancée nouvelle se tape ce pestilentiel moment, et
puis très sincèrement, juste entre nous, Monsieur
Savon, des fois, il est vraiment pestilentiel. Nous
surveillons pourtant son alimentation, Aurélie et
moi – mais il est vrai que nous ne le suivons pas
dans tous les sous-bois. Nous essayons de trouver
une solution avant le prochain amour – le sien ou
le mien.

Ah ?

Des questions (de Louise M., de Vaudreuil)
auxquelles, j'avoue, je ne sais trop quoi répondre.
« Pourquoi ce sont surtout des filles qui travaillent
dans des bars ? Parce que ce sont surtout des
hommes qui boivent. (OK, je note.) Mais pourquoi ce sont surtout des hommes qui boivent ? »
(Ouh là. C'est moins simple. On y pense en petits
comités si vous le voulez bien, puis en plénière,
puis en méchoui, enfin vous voyez, tout ce qu'il
faut pour noyer le poisson. C'est Churchill, je
pense qui a dit qu'un chameau est un cheval
dessiné par un comité.)

« Fais battre ton cœur où t'as mal. »

Simple suggestion en ce qui concerne les blessures – les coups, éraflures, bleus ; au coude, au doigt, à l'âme, n'importe. Aurélie apprend lentement. Le truc ne marche pas chaque fois, c'est vrai, mais chaque fois ça nous rebranche sur le sourire, cette pompe à vie. Fais battre ton cœur dans ta douleur, Aurélie. Tu ne peux pas éviter d'avoir mal, mais tu peux choisir comment. Avoir mal en pleurant, en regardant les étoiles, en souriant, en riant, et ça c'est à toi ma belle. Essaie de localiser le point de ta douleur, le genou disons, et va faire battre ton cœur dans ton genou. Dans quelques années, tu iras faire battre ton cœur dans ton cœur. Il ne sera jamais tout seul.

Du plus vieux métier du monde

« Elle faisait le trottoir, le long de l'église, y a bien des curés qui prient dans la rue… » (Dassin)

« J'aimais la vigne, et le houblon, les villes du Nord, les laides de nuit. » (Brel)

« Si vous la rencontrez, bizarrement parée, traînant dans le ruisseau un talon déchaussé (…), ne crachez pas de juron ni d'injure, au visage fardé de cette pauvre impure (…) cette déesse-là c'est mon bien, ma richesse, ma perle… » (Reggiani)

« Comme les filles de son espèce, elle prend ses quartiers de noblesse, au fond des âges. » (Sardou)

« Mon ange m'a dit : « Turlututu !, Chanter l'amour t'est défendu, S'il n'éclôt pas sur le destin, D'une putain. » (Brassens)

« Les vrais putes ne sont pas dans les rues. » (Gary)

Je pourrais continuer des minutes entières sur ces artistes qui ont parlé avec tendresse des péripatétitis. Si vous voulez m'aider à continuer la liste, vous pouvez m'envoyer vos trouvailles directement : < oraylido@sympatico.ca > (Info-pub, pendant qu'on y est : mon prochain roman – justement celui du Lac-à-la-Vierge –, s'intitulera *Les Putains du père Noël.* Ça vous met l'eau à la bouche ? Eh bien tant mieux pour vous parce que moi ça me terrorise.)

Les Anges de la route

- À Yamaska (village), près de la rivière. Un type et sa petite amie (ou sa sœur, ce qui expliquerait certaines choses, vous verrez) reculent en voiture pour descendre une chaloupe dans la Yamaska (rivière). Je me promène avec Monsieur Savon et nous nous arrêtons pour leur permettre de reculer. Le gars, au volant, voit le chien et me lance : « Belle bête ! » Je souris. Savon aussi. La fille se penche côté conducteur, pose doucement sa main sur le volant pour conserver son équilibre, nous regarde alternativement Savon et moi, et dit : « Le chien aussi a de l'allure… » Un tout petit ange survole alors ce très beau village, et nous éclatons tous les trois d'un rire indécent, presque pur.

Ils nous proposent un pique-nique, mais nous n'avons pas le temps cette fois. Je les regarde s'éloigner dans leur petite embarcation sans moteur. J'ai envie d'acheter l'île où ils abordent.

- « Pourquoi tu la laisses faire comme ça ? » dit maman à propos d'Aurélie, qui jouit il est vrai de certaines libertés. «Mais je la laisse pas faire tant que ça, c'est quand même pas Woodstock simonac.» «Ne jure pas!» réplique ma seule mère. «Bon, pardon... Mais j'ai pas l'impression de la laisser faire, comme tu dis. Je laisse aller des fois, mais seulement parce que ça transpire l'audace, son affaire. Rien à tuer là-dedans, maman. Mon rôle, moi, c'est d'aiguiller cette intelligence-là, d'autant qu'avec la bêtise je pourrais rien faire... On n'humanise pas une âme; on humanise une enfant qui commence à comprendre ce qu'elle fait ou fait pas... Pas d'accord, je suppose?»

Maman hausse les épaules avec une insupportable grâce et elle se retourne pour vaquer à autre chose. Elle accorde ainsi son consentement à mes décisions de père, je le souhaite, je l'espère, je le pense et j'en arrive à le croire, tout ça dans l'ordre, et cette progression vers la certitude m'émeut assez. De toute manière, ça fait si longtemps qu'elle est morte qu'elle ne se soucie presque plus de nos désaccords en ce qui touche les innombrables théories de l'éducation, ce qui me va très bien. (Vous aurez par ailleurs deviné qu'il me plaisait assez de loger la grand-mère d'Aurélie comme dernier Ange, sur une autre route, moins bétonnée que celles que nous suivons, en s'aidant parfois les uns les autres.)

Perle d'Au

- — Là, Aurélie, ça FAIT! OK?

Je suis un peu fatigué, voire ulcéré, je le concède. Mais quand cette gosse décide d'être peste, je vous jure, on compte les lignes dans le milieu de la route pour faire diversion, on espère un orage ou une montgolfière, on voudrait une gardienne sûre à trois cents milles de la maison. Pour ce soir, il est tard, et je cherche depuis une heure un endroit paisible où tirer le break à main, et elle elle chante du Avril Lavigne, nouvelle idole, à tue-tête, en inventant des mots anglais, soprano-sopranino, quelques pointes tout à fait fausses, parfois Savon beugle pour l'accompagner, bientôt vingt-cinq minutes non-stop de ce concert, est-ce que quelqu'un me comprend? Ça, fait.

Elle respecte un silence intéressant (ce qui dénote surtout qu'elle connaît mes limites, arrêtez de prendre son parti).

— OK, dit-elle enfin.

Je suis surpris, mais je reste impassible. Je repère finalement un endroit pas trop moche, je me gare, j'arrête Capucine, je tire le frein à bras, je soupire.

— Allez, dit-elle en se détachant et en se dirigeant vers le réfrigérateur du West, on oublie ça, je te paie une bière.

Ils épousent notre langage et nos manières. C'est leur première éducation, et peut-être la seule. Je ne sais pas.

• Nous sommes dans le coin de Saint-Jacques de Leeds. Avons dormi chez des amis. Sur le chemin du retour, près d'un lac, j'ai envie d'avoir la paix, ça arrive même de jour. Une dame s'approche et vient flatter Savon qui ne demande que ça. Elle dit : « Moi aussi j'ai un golden... » Elle a l'air gentil. Je dis : « Ah », je me considère poli. Après les sempiternels « C'est quoi son nom ? Est-ce un mâââle ? Quel âge a-t-il ? », elle dit : « Mon époux s'en vient avec Justin ». Je dis : « Ah, vous êtes mariée... ». Je me crois drôle et vu ma fatigue, je trouve mes points de suspension assez nobles, mais la dame ne semble pas saisir l'ironie, ce qui me dégonfle un peu plus. Elle croit nécessaire de préciser, cependant, et en souriant de surcroît : « Justin, c'est le golden... ». Je crois qu'elle glousse, mais c'est sûrement le souvenir de ma maîtresse d'école en troisième année, alors évidemment je me morigène. Je dis : « Oh... Bien sûr... » et là je me sens infiniment généreux en même temps que goujat, et presque menteur. Je regarde cependant désespérément le lac, et il veut bien que je le fixe ainsi, il a l'air gentil lui aussi. Étale.

Aurélie n'assiste pas à ce désastre de relations humaines (à cause des grenouilles, encore une fois).

L'époux et Justin finissent par arriver et je les comprends d'avoir pris leur temps (désolé, je m'excuse madame, ça m'a échappé, désolé). En les voyant, Savon est resté à mes pieds, ce qui est rare et de fort mauvais augure. Je ne décrirai pas le marri (AH-AH, vous pigez ? Marri… AH-AH, deux *r*… Ah… Ah-ah… Ah. Bon OK), mais pour ce qui est du « golden » que pour l'occasion je laisserai entre guillemets, il s'agissait d'un animal extrêmement étrange, jaune paille, malingre, très court sur pattes, tête en bas, assez amorphe, avec des oreilles bien droites, comme tenues en place grâce au séchage à froid. Il devait peser trente livres immédiatement après la moulée du soir. Bref, de ces bâtards mal foutus pour lesquels j'ai toujours eu un faible, je le mentionne – vous savez que ce sont les chiens les plus intelligents ; une fois sur vingt mais quand même. Quoi qu'il en soit et pour tout dire, Justin était particulièrement laid et on n'en fera pas une jaunisse, c'est comme ça.

Mais la dame, elle, très très fière et c'est là que ça se corse, me l'a présenté comme sa pupille – avant même de me présenter l'époux d'ailleurs. « Voyez, dit-elle, c'est notre golden… » En fixant l'époux dans les yeux, j'ai poliment répété : « Ah ».

Et c'est à ce moment qu'Aurélie s'est pointée, ramenant un crapaud. Elle a regardé Justin dans les yeux, la chose n'a guère réagi, et Aurélie a simplement dit : « Ouash ». Pas de point de suspension, rien, juste : « Ouash ». On frisait la catastrophe. Puis d'un seul coup, ma petite marquise a semblé vieillir de quinze ans, comme si elle avait acquis les notions de civilité, de diplomatie, de tact et de mensonge dans le même incroyable coup de pinceau. Elle s'est approchée de la bête en chantant: «Salut mon beau pitou-pitou...», désamorçant ainsi toutes les bombes, je sais bien, mais j'ai peur qu'elle emprunte une carrière politique – car on ne peut que l'emprunter celle-là, si je ne m'abuse.

Cette dame, quoi qu'il en soit, tenait à avoir un golden, et c'est ce détail-là que je trouve absolument touchant, troublant, émouvant, déchirant. Car c'est ce détail qui résume notre été, nos deux étés, la vie d'Aurélie, la mienne et peut-être la vôtre. On se fout que ce soit exact ou pas; on se fout des vrais goldens et des fausses blondes, tout est à prendre là-dedans, tout est à épouser.

Mais personne, jamais, ne peut se moquer de notre prodigieux besoin de croire.

À bientôt.

L'Est en West : <u>FIN</u>

Aurélie Girard. xxxx

Empreinte. patte
d'sorte avant
Monsieur Savon !